JN023044

小田急百貨店の展覧会

新宿西口の戦後50年

志賀健二郎
Shiga Kenjiro

筑摩書房

小田急百貨店の展覧会——新宿西口の戦後50年

目次

まえがき　新宿西口いまむかし

1904年に誕生した日本最初の百貨店である三越以来、大正から昭和にかけて、日本の百貨店は販売を目的としない〝文化的な催し物〟（以下〝展覧会〟と記す）を多様な内容で行い、都市の文化的なインフラとしての機能を果たしていた。戦後も百貨店各店はその機能を継承し、老舗の百貨店はもちろん、後発のターミナル百貨店においても、展覧会はますます盛んに開催されるようになった。

百貨店には婦人服売場など固定された売場（元売場）とは別に、週替わりで様々な催し物を行うスペース、いわゆる催物場が必ず設けられている。催し物は、売上ばかりでなく、話題性やPR効果、集客、店の賑やかしなどのエンターテインメント的な役割も重視されるのだが、展覧会の開催が盛んになったとは言え、それは各種催し物のひとつとして催物場で行われるものであり、そのための専用スペースを設けるという考え方はなかった。

小田急百貨店も、1962年の開業の時から展覧会を行っていたが、やはり催物場での不定期開催で、週替わりで行う催し物のひとつとしてであった。しかし、67年の本館開業とともに、百貨店としては初めての展覧会専用の施設となる〝文化大催物場〟を本館11階に開設した。百貨店で最初の常設美術館となる西武美術館に先駆けること8年、当時の百貨店業界では画期的と言ってもよい施設であった。その後、73年に〝小田急グランドギャラリー〟、92年に〝小田急美術館〟と改称した。

百貨店は、その誕生以来、都市生活者に文化的な娯楽と刺激を提供し続けてきた。小田急百貨店も戦後昭和の新宿西口でその一端を担い、本館11階で30年余り、開業時からであれば40年弱の間、美術展を始め、写真、歴史、考古、文学、科学、子ども向けなど、幅広いジャンルの展覧会を開催してきたが、２００１年、小田急美術館の閉館をもって展覧会の専用施設はなくなった。

私が小田急グランドギャラリーで展覧会の企画、運営の仕事をしていたのは80年代、世の中がバブルに向かって一直線の頃で、百貨店業界も活況を呈し、各百貨店では頻繁に展覧会が開催され、中には多額の経費と推定されるものも多々行われていた。小田急グランドギャラリーには、小田急百貨店より企業規模の大きい例えば髙島屋、伊勢丹、西武ほどには展覧会のための予算はなかったが、開催した展覧会は多くのお客様に親しまれ、楽しんでいただいていたことは他店のそれと変わりはなく、私が在職していた頃もユニークな展覧会をやっているという評価も得ていた。

百貨店が戦後日本の都市文化の形成と進展に及ぼしてきた影響を百貨店の展覧会から探ろうと、戦後昭和の都心の各百貨店が開催した数々の展覧会を紹介する『百貨店の展覧会――昭和のみせもの１９４５-１９８８』を4年前に上梓した。最初の構想は百貨店の展覧会の全体像を示すことであったのだが、調査を始めてみれば思い描いていた以上に百貨店の展覧会はバリエーション豊かであり、まずはその多様性に重点を置いてまとめることにした。幸いいくつかの書評にも取り上げられて反響もあり、いずれ続編として百貨店の展覧会の内実にもっと踏み込み、それを多くの方に知っていただきたいと考えていた。

新宿西口の再開発にあたり、新たに地上48階の複合施設を建設するため、２０２２年10月から小田急百貨店本館の解体工事が始まるとのことである。小田急百貨店の営業は続いていくが、30年余りの間、文化大催物場、小田急グランドギャラリー、小田急美術館と会場名を変えながら展覧会を開催し、多くの人たちに親しまれてきたその場所は消えてしまうことになる。そこで、坂倉準三監理設計のこの建物への哀惜の念を込めつつ、小田急百貨店の誕生から小田急美術館の閉館までの40年弱の間に開催してきた展覧会にスポットをあて、それを通して百貨店の展覧会とはどういったものであったのかを紹介していくことにした。小田急グランドギャラリーで8年間、様々なジャンルの展覧会の企画、運営に裏方として携わってきた私の経験も踏まえ、百貨店の展覧会の功の部分と限界も含め、現場感をもって解き明かしていきたい。戦後の百貨店が〝文化〟で果してきた足跡の一端を読み取っていただければ幸いである。

また、より理解を深めていただくために、その背景となる、同時代の都内の百貨店、特に小田急百貨店と同じく副都心に位置する新宿、池袋、渋谷の各百貨店の動向にふれるとともに、百貨店の展覧会を語る上で欠かすことができない百貨店美術館についても論述した。

本書で言う〝百貨店の展覧会〟は、原則、〝百貨店が店内において行う販売を主要な目的としない文化的な催し物〟である。展覧会のデータは、朝日、毎日、読売、日経ほか新聞各紙の事業社告、記事、広告、および国立新美術館Ｗｅｂサイトの『日本の美術展覧会記録１９４５―２００５』などを出典とし、戦後昭和と平成の10年間に都内百貨店で開催された展覧会をリスト化した。小田急百貨店については、同社から改めて提供を受けた67年の文化大催物場以降の展覧会実績データも参考としている。

本文中の展覧会表記は、**『展覧会名』**〔会場名／開催年月／主催／後援、協力など〕の順としている。

百貨店の店舗名の表記は、〝地名＋店名（屋号）〟を原則としたので、正式の店舗名とは異なる場合がある。新聞各紙の表記は、朝日、毎日、読売、日経、産経（サンケイ）、東京と略し、会社名、団体名では必要のない限りは株式会社、財団法人などの表記は省略した。個人名の敬称もすべて略させていただいた。展覧会名・会期・内容などの展覧会データの引用元については、個々には省略し、上記の出典で代えさせていただいた。参考文献は、巻末に一括して掲載し、本文中に引用・要約して記述した場合には原則そこで引用元を明らかにした。以上、関係者にはこの場を借りてご理解のほどお願い申し上げる。

論考の対象は、特に表記がない限りは、基本的に東京都心の百貨店である。また、引用の中には現在では不適切と考えられる表現もあるが、時代の実相を映し出すものとしてそのままとした。

本書の出版は、小田急百貨店から資料提供の協力を得ているが、私個人の考えで進めたものである。従って内容についての責任はすべて私にあることを改めてお断りしておく。

第1章

小田急百貨店の開業

1　開業までの道のり

1962年11月3日、小田急百貨店は現在の小田急ハルクの建物で開業した。
開業時の売場案内図には、7階に〝文化催物場〟という表記がある（図1-1-1）。「まえがき」で、「67年の本館開業とともに、百貨店としては初めての展覧会専用の施設となる〝文化大催物場〟を本館11階に開設した。」と記した。では、この〝文化催物場〟とは何なのかという疑問が湧くが、それを小田急百貨店創立の経緯から解き明かしていきたい。

戦時中、五島慶太の東京急行電鉄に統合されていた東京西南部の私鉄各社は、48年に再び分離され、その中の1社である小田急電鉄の社長には、東急電鉄副社長の安藤楢六が就任した。この頃、小田急の拠点でもある新宿駅西口においては、国鉄、小田急、京王各線のあふれる乗降客をさばくため、駅前広場の整備と新たな西口駅舎

階	売場名
屋上	☎ 屋上遊園、金魚、園芸、スカイルーム、グリル、売店、屋上バラ園、サボテン温室、屋上ステージ
8	☎ 大食堂
7	☎ 貴金属、時計、カメラ、書籍、美術品、眼鏡、ハンドバッグ、洋品、民芸品、工芸品、専門店会（東建商事）、文化催物場、赤ちゃんルーム（託児室）
6	☎ スポーツ用品、印章印刷、絵画材料、万年筆、アルバム、事務用品、エスカレーター、文房具、レコード、和洋楽器、オルゴール、木彫品、乗物、人形、玩具
5	☎ モデル・ルーム（ベッド・リビング・ダイニング）、厨房家具、じゅうたん、カーテン、特選陶漆器サロン、漆器、ガラス器、食器、電気器具、ガス器具、東京ガスステーション、照明器具、暖房器具、テレビ・ステレオ、ミシン、洗濯用品、日曜大工用品、外商部受付
4	☎ 特選呉服サロン、御召、帯、仕立上り着物、紬コーナー、半えり・足袋、和装イージーオーダー、和装小物、新しいきものコーナー、和装コート、洋反物、夜具物、ふとん・マットレス、タオル、毛糸、手芸用品、マタニティコーナー、白樺コーナー、ベビーセンター、ご進物相談所
3	☎ お誂え、イージーオーダー、既製服、フォーマルコーナー、ヤングマンコーナー、紳士服、学生服、ゴルフ用品、特選売場、紳士肌着、ミセスコーナー、婦人服、シルキーコーナー、婦人子供服地、小田急オートクチュール（高級婦人服お誂え）、ティースタンド
2	☎ デザインルーム、レザーコーナー、婦人既製服、女子学生服、スイートピーショップ、淳一フラワーステージ、スイートピーショップ、ブーケ・ド・シャポー、婦人子供手袋、婦人子供靴下、婦人ホームウェア、婦人子供肌着、子供服、お嬢ちゃんコーナー、ヤングジェンツコーナー、学生服
中2	高野パーラー、ニッポン放送サテライトスタジオ
1	☎☎☎ テレフォンセンター、紳士洋品、靴、鞄、外貨両替所、煙草喫煙具、商品券、婦人アクセサリー、袋物、ハンドバッグ、化粧品、ジュンコーナー、ヤングジュエリー、ワイシャツ誂え承り所、帽子・ステッキ、洋品小物、店内御案内所（国電・小田急）
地1	☎ 精肉、みそ・漬物、野菜・果物、水産干物、燻製品、つくだに、珍味、冷凍食品、農産乾物、結納品、和洋酒、清涼飲料、輸入酒、輸入食品、乳製品、びん・缶詰、コーヒー・紅茶、和洋菓子、パン、サービスセンター、セルフセレクション
地2	☎☎☎ テレフォンセンター、東西のれん会（東建商事）、スナック、生ジューススタンド、ティー・スタンド、山一證券、小田急総合案内所、ベルト・レイン（地下鉄）
地3	（味の地下街）グリル蘭、本銀ずし、ニュートーキョー、五味八珍
地中3	辻留、山家そば、香港飯店（味の地下街）

1-1-1　小田急百貨店・開業時の売場案内図。7階の「専門店会（東建商事）」の右側に「文化催物場」の文字が見える。[『小田急百貨店25年のあゆみ』：以下『25年史』]

1-1-2　バラックの立ち並ぶ新宿駅西口（昭和30年代半ば頃）［『25年史』］

の建設が喫緊の課題となっていた。安藤は日本における鉄道事業のビジネスモデルを創りあげた阪急の小林一三、そのモデルを東京・神奈川圏で展開した五島慶太の経営を範とし、就任当初から百貨店事業＝ターミナルデパートの構想を強く抱いていて、この駅舎建設プランもその引き金となった。しかし、西口周辺の土地は小田急電鉄だけでなく、東京都、国鉄、京王電鉄などの所有権が複雑に入り組み、加えて戦後の闇市から続く不法占拠の店舗が蝟集していて（図1-1-2）、ここに駅ビル建設を進めて行くためには極めて多くの困難が立ちはだかっていた。結局、駅ビル建設構想が具体的に動き出すまでには、安藤の社長就任から10年余りの時間を必要とした。

その間の55年、小田急新宿駅の北西方向へ２００ｍ余り、道路ひとつはさんだ場所に土地を所有する東京建物から、そこに建設する賃貸ビルを小田急電鉄で使わないかとの打診があった。小田急電鉄は検討を重ねた結果、このビル（東建ビル）を安藤の念願である百貨店とする決定をし、61年6月、株式会社小田急百貨店を設立した。東京建物の提案は、ある意味〝渡りに舟〟であったにもかかわらず、百貨店設立までに6年という年数を費やしたのは、53年に国鉄、京王電鉄と合同ビルをつくって百貨店とする計画が3社で発表されたにもかかわらず、その足並みが揃わぬまま時間が経過してしまったことが主たる要因であるが、もう一方で、百貨店法成立の影響と当時の都内の百貨店業界の状況もあったと思われる。

百貨店法は、中小小売商の保護を目的に百貨店の事業活動を制限する法律で、１９３７年に制定されたが（第一次百貨店法）、47年の独占禁止法の成立とともに廃止された。それが復活したのは、百貨店全体の売上高指数が53年には38年の戦前水準を突破するまでに回復するなど、再び小売業界での百貨店の存在感が大きくなり、中小小売商との軋轢が再燃したことによる。56年、第二次百貨店法が成立し、6月16日施行となった。

法令では、通産大臣は百貨店の新増設や営業時間などの許可には、学識経験者で構成される百貨店審議会の意見を、そして審議会は地元の商工会議所などに設けられた商業活動調整協議会（商調協）の意見を、それぞれ聞かなくてはならないとされ、地元の意見重視が第二次百貨店法の特徴であった。

この時期の都内の各百貨店と百貨店法との関係を見ておくため、58年10月時点の、百貨店協会に加盟していた東京23区内の百貨店店舗の一覧を掲げた（表1）。各店の規模感の理解のために、従業員数と店舗総面積（売場面積とは異なる）も記した。

47年から56年の間、百貨店の新増設を規制する法令がない中で、関西から53年に阪急が大井町に、54年に大丸が東京駅八重洲口に、55年に丸物が新宿に進出し開業した。また、渋谷東横が駅東側にターミナル百貨店として開業したのは戦前の34年であるが、54年には駅西側に建てかけのままであった旧玉電ビルを坂倉準三[1]の設計によって増改築し（東急会館）、これを駅東側の東横と跨線橋・地下でつなげたことで、渋谷東横は大幅な増床となった。この時期は、東横ばかりでなく日本橋高島屋を始めとして他の既存店舗も大々的に増床・改装を行ってい

表1　日本百貨店協会加盟の都内の百貨店
（1958年10月1日現在）

店名	店舗総面積（平方米）	従業員数（人）
池袋丸物	28,129	658
新宿伊勢丹	58,469	2,375
有楽町そごう	22,391	1,033
八重洲口大丸	31,474	1,641
日本橋髙島屋	54,049	2,392
渋谷東横	58,381	2,426
池袋東横	8,434	448
日本橋白木屋	47,932	1,661
大井町阪急	7,604	165
上野松坂屋	62,746	2,237
銀座松坂屋	35,401	1,267
銀座松屋	35,629	1,496
浅草松屋	38,599	721
日本橋三越	68,114	2,919
新宿三越	15,613	611
銀座三越	11,881	461
池袋三越	25,466	615

（西武百貨店の協会加盟は1964年10月）
※「日本百貨店協会10年史」により作表

た。56年5月には数寄屋橋に阪急が開業したが（百貨店協会には未加盟）、法の規制なしで百貨店が新設、増改築出来たのはここまでであった。

大丸、阪急に続いて大阪から有楽町に進出しようとするそごう、池袋出店をねらう京都の丸物、新たに池袋に支店を計画する三越の新設申請は百貨店法施行後となり、商調協の厳しい審査の結果、いずれも57年であるが、そごうは申請の15%削減で7月に、三越は20%削減で10月に、丸物は50%削減で12月にそれぞれ新規開業となった。

この頃の都心の百貨店の消長をいくつか紹介する。

品川には、渋谷の東横に先駆けること1年前の33年、京濱電鐵（後に京浜急行）品川駅構内に白木屋が資本参加して設立した京濱デパートが56年までの間存在した。

その京濱デパートの池袋分店として35年、東口に菊屋デパートが開業し、40年には西武鉄道の前身である武蔵野鉄道がこれを買収して武蔵野デパートと改称した。戦災で焼けてしまったその場所で木造モルタル2階建て約160㎡の店舗で営業を再開し、その後、地上7階、地下2階のビル建設が順次進行した。49年、西武百貨店に名称変更をし、55年に西武グループの総帥・堤康次郎の息子である堤清二が店長に就任した。当時の西武百貨店は、駅の売店に毛がはえた程度の店とも言われ、京都の老舗呉服商からは「ニシタケ百貨店はん？　知りまへんなあ」といった話が伝わるほど、有力取引先からまともに相手にもしてもらえず、[2]しかも赤字続きの弱小百貨店であった。しかし、堤は経営改革を次々に進めるとともに店の増築拡大を続けて業績をあげ、60年頃には都市型百貨店への脱皮に成功した。

50年12月に東横初の支店として西口にオープンした池袋東横は、「当初は営業成績もよかったが、1階が駅で使えず、しかも売場面積が7000㎡程度の狭さのため改装・増床もままならず、56年をピークとして翌年に三越、丸物が出店してから売上不振に陥り、最後は〝質流れ品〟まで売るような百貨店」［東京新聞64年5月21日朝刊］と言われ、結局64年に閉店となった。

GHQの撤廃命令を受けた新宿地区の露天商たちによって伊勢丹の北側に建てられた〝新宿百貨店〟が、営業不振のためビルごと身売りとなった。それを丸物が買い取って55年に開業したのが新宿丸物である（百貨店協会には未加盟）。丸物の東京進出の本命はもともと池袋にあり、新宿はそれまでの橋頭堡程度の位置づけであったため、4000㎡弱の狭隘な面積の安普請の建物を改装することもなかった。しかし、池袋の売場面積が申請の半分程度しか許可されなかったために存続することになってしまったと推測される。新宿百貨店の時にあったストリップ劇場がそのまま居座ったために、「ストリップ劇場のある百貨店」とも呼ばれていた。開業以降5年間ほどはそれなりに実績をあげていたが、新宿地区の競合が激しくなると売上の減少が続き、結局65年に閉店した。「閉店大売出しの期間が、10年の間で最高の売上」［週刊新潮65年12月11日号］と伝えられている。

池袋丸物は、東京進出を目指して54年に池袋駅の民衆駅[3]ビルとなる池袋ステーションビルに資本参加した丸物が、建物も百貨店仕様で設計・建築した店である。しかし前述した通り、百貨店法施行の影響をまともに受け、売場面積は申請の50％しか認められないまま57年12月に開店した。このスタート時点の躓きは後々まで尾を引いて売場面積は2万㎡を超えることなく、加えて東京人にはなじみが薄い百貨店〝丸物〟は、新宿丸物のストリップ劇場、三流百貨店というイメージもついてまわり、業績はなかなか向上していかなかった。

池袋三越は、既に51年に〝三越ガーデン〟を東口において池袋進出の足場を築いていた三越の、戦後最初の首都圏での支店で、57年10月、東口に地上7階、地下2階で開業した。

戦前から業績の低迷が続いていた日本橋白木屋は、56年に東急電鉄の傘下に入り、58年には株式会社東横と合併したが屋号はそのまま存続した。

このように、小田急電鉄が百貨店の創業を考えていた時期の都内の百貨店は、戦前からの経験を有する店ばかりであった。関西から進出してきた百貨店は、大阪や京都などで実績を積んできた店であり、西武百貨店もまがりなりにも前身は白木屋系列の店であった。つまり小田急百貨店は、この時点では初の戦後生まれでなおかつ最後発の開業となる。さらに百貨店法の施行により、新規開業の店の売場面積申請に対して厳しい審査結果が出されるのを目の当たりにし、やはり経験のない百貨店事業の開始には慎重に検討を重ねざるを得なかったのではなかったかと思われる。しかし、慎重ではあったが安藤の百貨店事業への意欲はとどまることなく、髙島屋との提携の話にものらず、あくまでも小田急の独力でやりぬく決意であった。この安藤の百貨店に対する強い思い、そして小田急電鉄がその思いを前に進めていったのは、大きく広がろうとしている新宿のマーケット、その中でも特に西口の将来性への期待があった。

都心に通うサラリーマン世帯の住宅地が西へ西へと拡大していることによる小田急沿線住民の急増、現状の百貨店数や規模からみると取り込む余地がまだまだある新宿エリアの商圏人口など、百貨店の潜在的な購買顧客層はきわめて厚く百貨店事業は十分に期待出来るものであり、さらに相乗効果によって鉄道事業の発展にも大きく資すると小田急電鉄は考えていた。加えて、新宿と同じように東京西郊、神奈川、埼玉と都心との結節点でマーケットの広がりが期待され百貨店事業が進められている渋谷、池袋にはない力強い推進力が新宿にはあった。それは、新宿駅から西へわずか1㎞ほどの位置、約34万㎡の広さがあり既に戦前から移転が検討されていた淀橋浄水場跡地であり、それを利用しての新宿副都心計画であった。

東京の人口が西側へ拡大していったため、そこからの乗客輸送を集中的に担う国鉄、小田急、京王各線の新宿駅の乗降客数は激増し、それぞれの駅舎機能は限界を超えていた。59年には地下鉄丸ノ内線の新宿—池袋間が開通し、さらに西口駅前には新宿区内・区外の西から多数の乗客を運ぶ路線バスの終点があり、新宿駅と西口駅回りの拡充、整備は喫緊の課題となっていた。

戦災復興土地区画整理事業のひとつとして、新宿駅西口に〝広場〟が設けられることは、既に48年の建設省告示によって決められていたが、現実には新宿駅西口の朝夕には通勤・通学の利用者があふれかえり、相互乗換のための通路の整備はすぐにでも取り組んでいかなければならなかった。また予想される車社会の進展に備えての駐車場の建設も必要であった。

一方、東京都は都心部に過度に集中している政治、経済、企業などの中枢機能の分散のため、58年に新宿、池袋、渋谷を副都心として開発する副都心計画を策定した。そして60年、新宿駅西口の差し迫った懸案事項も取り込みそれらの課題の一元的な解決を目指して、東京都は、新宿駅西口広場を要とし淀橋浄水場跡地を含む96万㎡の土地の再開発計画を、新宿副都心計画として発表した。副都心計画が池袋、渋谷に先駆けて新宿からとなったのは、淀橋浄水場跡地の存在が第一の要因であった。

新宿副都心計画の発表の後、小田急電鉄は東建ビルを百貨店として使用することを正式に決定し、翌年6月に小田急百貨店を設立して安藤が社長に就任した。そして、同年7月に通産大臣に百貨店営業許可申請書を提出したが、申請には「淀橋浄水場跡を中心に建設される新宿副都心の一翼をにない、……今後副都心計画地内に集まる厖大な数にのぼる人びとに買物と憩いの場を提供」、「首都圏の膨張に伴って人口増加の著しい国鉄中央線、小田急線、京王線、西武新宿線、地下鉄荻窪線各沿線居住者に便利な買物の場を提供」〔『25年史』から転載〕と、百貨店設立の推進力となる〝副都心〟〝商圏内の人口増加〟が明確に示されていた。

申請は本格的な都心型百貨店の開業を目指して、地下2階、地上8階、3万6000㎡余りの売場面積であったが、商調協の中小小売商保護の壁は厚く、許可されたのは1万7000㎡と50%以上の削減で、同時に審議された、伊勢丹、三越、京王の新宿3店の新増設の売場面積も同様に大幅に削減された。次の段階の百貨店審議会はさらに厳しく、最終的に1万5000㎡弱で許可となった。売場面積が申請の半分以下に削減されたことで、当初の計画を大きく変更せざるを得ず、限られたスペースの制約に苦しみながらも、62年11月3日に、東建ビル(後の小田急ハルク)で小田急百貨店はスタートした。

さて、冒頭に話を戻して、開業時の〝文化催物場〟であるが、『25年史』は、「大幅な売場面積削減のもとで、本格的な都心型百貨店という初期の構想に少しでも近づけるために、食堂・喫茶などの飲食業と文化催物場などを百貨店の直営ではなく、(ビルの貸主の)東京建物の子会社である東建商事による兼営事業とした」と記している。つまり、百貨店の一部を別会社が営業する形にして、見えがかりで百貨店の売場面積を少なくするという、まさに「苦肉の策」〔『25年史』〕でフロア構成をしたわけである。

開店の時の文化催物場での催しは、『'63年冬山とスキーフェスティバル』〔62年11月/日刊スポーツ新聞社〕で、広告でも会場は〝文化催物場〟と表記されている〔図1-1-3〕。ただし、「スポーツも文化」といったような強い主張があってのことではなく、開店の集客催事として当時若者にも人気の高かったスキーを取り上げたと推測される。内容は、最新スキーモードの紹介をはじめ、用具の知識、技術ゼミナール、スキー場案内などで、会場は

1-1-3　小田急百貨店・開店広告［朝日新聞1962年11月3日朝刊］

「若い男女でいっぱい」と報じられている〔日刊スポーツ62年11月7日〕。

この後の文化催物場では、文化的な催し物も開催されていたが、並行して特売など販売目的の催し物も行われていて、ここは文化的な催し物のための専用会場として設けられたわけではなかった。実際に会場名を〝文化催物場〟とした事例は、『スキーフェスティバル』のほかは『弘法大師奉賛書道展』〔64年4月〕の新聞広告でしか確認できず、文化的な催し物の時も含めて会場表記のほとんどが〝催場〟であった。

百貨店には〝催物場〟は必要欠くべからざるものであるが、そこにあえて〝文化〟を付したのは、ここを売場面積外の兼営事業としているだけに、百貨店の販売という実態があからさまになることを避けるために、〝文化〟というワードでコーティングしたものと思われる。

催物場の名称は、催物場、催場、催会場や、池袋西武のサンライトホール、日本橋白木屋のグランドホールなど各店で様々だが、同じ会場をその時々で別表記にすることもよくあった。日本橋髙島屋のように展覧会の時はギャラリー・ホール、その他の時は会場・大会場と使い分けをしたり、池袋丸物では62年11月開催の『世界結婚民族衣裳展』の新聞広告において会場名を突然〝文化催場〟としたりで、いずれにしても催し物の会場名称は各店ともそれほど厳密なものではなかった。この時の小田急百貨店の〝文化〟も大きな意味付けがあってのことではなく、便宜的につけられたものであった。

2　開業後の展覧会

日本で最初の百貨店である三越以来、百貨店は文化的な使命感を強く抱き、利益を度外視した文化的な催し物を行うことは一流百貨店の証であると考えられていたが、大がかりな展覧会の開催は、各店とも年間でみるとそれほどの頻度ではなかった。ところが戦時中は、百貨店は丙種産業と目され軍需工場に転換されかねないところから、百貨店としての生き残りをかけて〝国威発揚〟〝戦意高揚〟〝戦時生活の啓蒙〟などを目的とした〝国策展覧会〟が、大手百貨店で頻繁に開催されるようになった。

敗戦後、今度は〝文化国家の建設〟の掛け声のもとで、自由な文化芸術活動への世上の期待は一気に高まり、その期待の中で文化的な催し物も幅広く求められるようになった。そうした展覧会ニーズに応えていったのが、戦前から大規模な展覧会を行ってきた実績があり、戦時中は物資乏しい中でもこまめにそれを開催していた百貨店であった。

当時はある程度の規模の展覧会が出来る施設は、公設・私設とも極めて乏しかったが、百貨店にはスペースがあってお金があり、そして何よりも戦前から積み重ねてきた展覧会に関するノウハウがあった。百貨店に展覧会が集中していくのは自然の流れで、実際に百貨店では戦前をはるかに勝る頻度で多種多様な展覧会が開催されるようになった。とは言え、百貨店が当時の貧困な文化行政をカバーして美術館、博物館の代わりになろうとしていたわけではない。百貨店が文化に関わっていこうとする姿勢は戦前と変わりはないが、各店横並びで〝文化的な催し物〟が激増した主な理由としては、展覧会の集客力があったと考えられる。
阿修羅像が出品された『**奈良 春日 興福寺国宝展**』〔日本橋三越／52年2月／毎日新聞社ほか〕は50万人、『**ザ・ファミリー・オブ・マン写真展**』〔日本橋髙島屋／56年3月／日本経済新聞社ほか〕は24万人、『**山下清作品展**』〔八重洲口大丸／56年3月〕は80万人など、正確な数はともかくたくさんの入場者であふれかえった展覧会は数多く伝えられている。美術展を始め、様々なテーマで行われる展覧会に対して人々の関心は高く、40〜60年代、百貨店にとって展覧会はコンスタントにしかも効率よく集客できる手段であった。

展覧会は、お客様来店のきっかけとなるとともに、新たなお客様の誘引とその固定化といったことで、顧客対策の面でも有効な営業施策であった。復興から経済成長の波に乗り、売上の拡大を目指していく百貨店にとって自店への集客は大命題であり、それ故に集客に効果をみせる展覧会を各店とも力をいれて実施していた。そしてその施策のバックボーンとなったのが、戦前から続く、一流であるならば文化との関りを当然とする百貨店の自負心であり、それは百貨店業界の中でも社会でも共通の認識としてあった。だからこそ新興ではあるが、一流百貨店を目指す小田急も東武も京王も、展覧会は特別な事業としてではなく、当たり前のこととして取り組んでいた。

さて、開業したばかりの小田急百貨店の〝文化催物場〟の〝文化〟は便宜的ではあったが、だからといって〝文化〟に冷淡ということはなく、他の先行する百貨店と比較しても展覧会の開催本数、内容に遜色はなく、新聞社などの主催、後援により、歴史、科学、美術を始めとして多様に展開していた。また、こうした展覧会とともに、地域の文化的発展に貢献することも掲げ、商圏としたところで活動する団体の趣味の発表展などの地域密着、沿線密着の展覧会も開催していた。新興のターミナル百貨店が、全国的な知名度や顧客の蓄積ではるかに勝る老舗百貨店に対し、まずは鉄道業の強みである地域、沿線に軸足をおいて挑んでいこうという姿勢の現れでもあったのだろう。

「噴火から未来像まで」と題して溶岩流からの出土品、観測器具、古文書などの実物資料とジオラマ模型などで構成した**『富士山展』**〔63年1月〕、火山の災害や恩恵、分布、性質などを模型、写真パネル、映画などで解説する**『日本の火山展』**〔64年2月〕、長野県松代町で続く群発地震の折から地震の予知と防災を、展示、講演、映画で考える**『地震展』**〔66年8月〕は、いずれも朝日新聞社の主催で開催された。本格的ではあるが比較的地味な地学系の展覧会で、他店ではこの種のものはほとんど実績がない。後に述べるが、67年の文化大催物場開設後も、この系統のものをさらに充実した内容でいくつか開催している。小田急百貨店の展覧会の特色といってもよいジャンルであった。

『暮しを生き生きさすための　リビングリビング展』〔64年4月／朝日新聞社　注：タイトルママ〕は、「住宅は芸術である」と主張し、「美しい空間」を志向した住宅を手がけて注目をあびる住宅建築の第一人者・篠原一男と、「絵画は生活であり画家は絵の必要な場所のどこでも活動をするべき」としてそれを実践する朝倉摂との2人展である。雑誌『建築』45号に、〈建築家の個展のこころみ〉と題して、篠原一男がこの展覧会を振り返っている。当時の百貨店の展覧会の性格とレベルを示しているので、詳しく紹介しておきたい。

> 建築家の個展というのはどうして開かれないのだろうか。住宅をつくってきた建築家なら、それは十分可能性があるのではなかろうか。（……）たまたま（……）朝倉摂さんとで協同作業をしていたが、2人の個展を、今日の広場であるデパートで開こうという話が、あっという間にまとまってしまった。（傍点筆者）
> やがて朝日新聞社が主催者になってくれるという幸運に恵まれ、計画は私たちの予期したものよりも遥か

に大きく立派なものになっていった。それだけに、何の商品も並ばず、ただ、金のかかるだけの展覧会を開かせてくれるデパートが現われてくれることはきわめてむずかしいことになった。しかし、これも小田急百貨店によって受けとめられ、ようやく実現することになった。そして、さらに幸運なことに、私たちの計画を聞いた知人たちが進んで大きな企業に結びつけてくれた。（……）藤田組、日清紡、協和ガス工業、そして、八欧電機の各企業の経営者の皆さんが（……）全面的な協力を約束して下さった。（……）私たちの2人展は、空前なともいえる程の費用と、それにもまして、惜みない好意に支えられて開催することができた。

篠原が「今日の広場」という言い方で、百貨店が出会いと刺激の場であることを当たり前のように語っているのは興味深い。

会場には、篠原が設計した2つの住宅プランが原寸大の建物となってその中心に据えられ、ふすま絵、壁布など住宅内部の装飾空間は朝倉のデザインによるものであったが、「美しい空間」の構成はそれだけでは終わらなかった。空間に置かれた家具は篠原のほか、インテリア・デザイナーとして日本の第一人者である剣持勇とイタリアで実績を積んだ高浜和秀の作品であり、照明器具は立体造形作家・多田美波、会場照明は舞台照明の第一人者・立木定彦が担当し、さらに「住宅の中で完結する家電製品のデザイン」をコンセプトに、篠原と八欧電機（現・富士通ゼネラル）のデザイングループとの協同で黒い冷蔵庫がデザインされ、この空間に配置された。そして、詩の谷川俊太郎、デザインの粟津潔、音楽の武満徹と、それぞれの分野で先鋭的な活動を続けているクリエイターたちが企画に協力するとともに、会場空間の構成にも参画した。

『建築』45号に掲載された写真を見ると、原寸大の2つの建物とその内部の空間はきちんとした建込みがなされていて、この造作だけでも「空前なともいえる程の費用」がかかったのではないかと推測される。（図1-2-1）

1-2-1　『リビングリビング展』会場風景［『建築』45号］

ここで思い起こされるのは、55年に日本橋髙島屋で開催された、**『パリ＝1955年芸術の新しい総合への提案　ル・コルビュジエ、レジェ、ペリアン三人展』**［3月／産業経済新聞社］である。

これは、インテリア・デザイナーのペリアン(4)を中心に、「芸術を生活にとけこませるために相協力した3人」［産経新聞55年3月19日朝刊］の展覧会であった。会場は坂倉準三も協力して、応接間、食堂、居間、寝室、書斎の5室のモデル・ルームが仕立てられ、ペリアンがデザインした家具、調度品など百数十点とコルビュジエ、レジェの作品がそれぞれに展示された。このときの会場造作の費用は500万円と記録されているが、当時の500万円は東京近郊の一戸建ての家が数軒買えるほどの金額で、髙島屋はそれをわずか10日間で消えてしまう展覧会に投じていた。

『リビングリビング展』にどれだけの費用がかかったのか、またそれを協力企業や小田急百貨店がどれだけの負担をしたのかは不明であるが、篠原が言うように総額で相当な金額であったことは間違いない。そして、

1-2-2 セットアップ方式を取り入れたインテリアフロア［『25年史』］

篠原が「何の商品も並ばず、ただ、金のかかるだけの展覧会を開かせてくれるデパート」と述べている通り、小田急百貨店も髙島屋もだが、百貨店は、金額の多寡は別として、自ら費用負担をしながら新しい文化を創りあげる場としても機能していた。

後に述べる67年の本館完成時、それまでの旧館を別館とし、小田急ハルク＝ＨＡＬＣ（Happy Living Center）の新たな名称のもと、〝住〟専門の店舗とした。ハルクの基本構想は、住まい全体の文化的向上を主眼に置き、これまでの家具売場にはない家具類を現実に使われる形で陳列する〝セットアップ方式〟（図1-2-2）により、理想の住空間を提案する売場を展開することにあった。このユニークな売場構成に加え、商品のレベルも高く、また当時はまだ一般的ではなかった北欧家具や、アメリカにおいてデザインから製作まで一貫した木工家具作りで高い評価を得ていたジョージ・ナカシマの個展をいち早

1-2-3　『北方領土展』広告［毎日新聞1967年9月21日夕刊］

く手がけるなどの先進性も示し、〃インテリアといえばハルク〃という高い評価を得ていくようになった。『リビングリビング展』が示した独創的な住空間が、別館ハルクの構想と売場作りに影響を与えたという確証はないが、「理想の住空間を構成し提案する」という考えが、展覧会から3年後に、それと同じ建物の中で結実したのではないかと推測するのはあながち無理なことでもないと考えている。

この他にも、『〃芭蕉の生涯〃展』［63年10月／芭蕉翁顕彰会、毎日新聞社］、『日本・中国版画交流展』［64年5月／日本中国文化交流協会、朝日新聞社］など、毎年数本の展覧会があった。66年には、次章で述べる新館（地下鉄ビル）が完成し、催物場はその8階に移った。

『北方領土展』［67年9月／北方領土復帰期成同盟、千島歯舞島居住者連盟、北方協会、南方同胞援護会］は、そこで開催された展覧会のひとつである。

ソ連のフルシチョフ首相から北方領土問題は解決済みとされて以来、返還運動は冷え込んでいたが、67年7月にコスイギン首相から「日ソ平和条約で中間的なものをつくっては」という発言があって領土問題を日ソ間で外交的に話し合う可能性が出てきたことから返還運動がまた盛り上がり、その一環として展覧会が開催され、条約、古地図、資源、千島の生活、千島アイヌの生活と文化などの資料が多数展示された。北海道物産即売会の併催は百貨店ならではある。(図1-2-3)

(1) 坂倉準三：戦前戦後の日本を代表する建築家。20世紀の世界の建築界の巨匠ル・コルビュジエに学び、1937年にパリ万国博覧会日本館でグランプリを受賞。帰国後40年に事務所を設立。48年に木造の髙島屋和歌山支店、51年には現在重要文化財に指定されている神奈川県立近代美術館を設計する。54年に渋谷の東急会館をてがけ、60年代には新宿西口広場と小田急ビルの設計監理にあたる。69年没。

(2) 「京都の老舗呉服商云々」は、私が百貨店在職中に呉服屋さんから聞いたことであるが、有力取引先から〝ニシタケ百貨店〟と言われたと、堤本人も講演の中で述べている。

(3) 民衆駅：国鉄の〝民衆駅ビル方式〟とは、戦災にあった駅舎復興のために、国鉄単独ではまかなえない資金を民間に求め、その代りに建物の一部を店舗営業で使用できるというスキーム。一つの駅で一つの駅ビル、一つの会社という形態で、既に全国各地の国鉄の駅がこの方式で整備されていた。

(4) ペリアン：ル・コルビュジエに師事し、戦前、髙島屋で自身の作品展を開催したこともある。

第2章

本館開業と文化大催物場

1　西口広場と小田急ビルの完成

計画した売場面積の半分以下で開業せざるを得なかったことが大きく影響し、さらに開業にあわせたかのように始まった景気の低迷もあって、スタートしたばかりの、しかも素人集団と言ってもよい小田急百貨店の営業成績は、当初の目論見とは大きく乖離し苦戦が続いた。さらに、高いポテンシャルをもつ新宿のマーケットの取り込みを考えるのは小田急ばかりではなく、この時期、駅の西側にも東側にも次々と商業施設が建設された。62年の丸井新宿店、63年の新宿西口会館の後、64年5月には東口に新宿ステーションビル（後、マイシティに改称、現在はルミネエスト新宿）、同年11月には西口に京王百貨店がオープンするなど新宿駅周辺は日本有数の商業集積地域となっていった。この競合激化も小田急百貨店苦戦の一因でもあった。

新宿ステーションビルは、国鉄の民衆駅ビル方式で計画され、当初は髙島屋が進出を目指していた。しかし、新宿駅真上の一等地の商業施設となることから様々な企業が競合し、最終的には、鉄道弘済会と伊勢丹、髙島屋、西武グループなどが共同出資をした㈱新宿ステーションビルディングが設立された。テナント250店の専門店ビルで、物販、飲食のほか結婚式場、催物会場、カルチャースクールも設けられ、多様性のある商業施設を目指していた。開業時の新聞広告のキャッチコピーは「250の粒よりの名店 虹のターミナル」で、〝虹〟の意味は、「山手線、中央線、総武線、西武新宿線、地下鉄、小田急、京王線の七つの交通機関が集まる」［読売新聞64年5月19日夕刊］ということで、歌舞伎町で止まっている西武新宿線がここまで乗り入れる計画もあったようである。

京王百貨店は、小田急の開業時と同じ1万5000㎡の売場面積でスタートしたが、建物の外装・内装ともこれまでの百貨店にはない斬新なデザインを採用し、新しい都心型百貨店を目指していた。商売は髙島屋と業務提携をして同社から常務の八島新作を専務として迎え、若年婦人層と子どもに主点をおいてファミリーを狙いとしたことも当たり、「急進する京王百貨店、人気と売上高うなぎ上り」と週刊誌に特集記事が掲載［週刊現代66年8月18日号］されるほどであった。

しかし、そうした厳しい状況にあっても、小田急グループの総帥である安藤は、次の発展に向かって手をゆるめることはなかった。新宿副都心計画の決定の後、小田急電鉄では百貨店構想と一体となる小田急の駅ビル計画がまとまり、61年5月に設計を坂倉準三建築研究所に委託した。また、この駅ビルに隣接する北側の場所には、帝都高速度交通営団が地下鉄ビルを建設することになっていて、当初計画では大丸が進出する予定であったが、小田急のビルだけでは百貨店の面積が足りないと考えた安藤が、旧知の大丸の社長と直談判をし、結局小田急が借り受けることになった。一方で、新宿副都心計画は何度かの修正を経て、最終的に浄水場跡地を中心に周辺区域とともに整備して高層ビル群を建設し、あわせてアクセスの利便性ために、西口駅前を駐車場も含めて地上階～地下2階の3層の立体広場とする計画になった。この計画が完成すれば、ここに一大ビジネスセンターが出現

2-1-1　小田急百貨店・新館オープン広告［朝日新聞1966年9月8日夕刊］

することになり［毎日新聞63年1月6日朝刊］、新宿駅西口地区はその玄関口として、来街者の大幅な増加と商業規模の飛躍的な拡大が期待された。

こうして駅西側の開発計画が具体的に進んでいったのだが、西口広場、地下駐車場、小田急ビルのすべてについて小田急電鉄が事業主体または委託で関わっていた。そのことからこの延べ15万㎡におよぶ建築・構造物全ての設計監理を坂倉準三建築研究所が担うようになり、一体で設計することが可能になった。そして、64年の東京オリンピック閉幕直後の10月末に西口広場と地下駐車場、および地下鉄ビルの、続いて12月に小田急ビルの工事がスタートした。

65年、66年と新宿西口では大工事が続いていたが、日々変わっていく駅周辺は発展を確信させる光景でもあり、「いま新宿のお客さんの数は東口60％ 西口40％だが2年たたないうちにこの数字を逆転してみせる」［週刊新潮66年9月24日号］と、小田急か京王かは不明だが、百貨店の宣伝課長の意気込みも伝えられている。

66年8月に完成した地下鉄ビルは、地下3階、地上8階、延床面積は2万8000㎡強の規模で、隣接する小田急ビルと一体となることを前提に建設された。小田急百貨店は地上1階以上の使用で、従来の東建ビルを旧館、地下鉄ビルを新館とし、売場面積が1万4000㎡加わったことで両館あわせて3万8000㎡となった。都内百貨店では三越本店、東横、髙島屋、西武、伊勢丹に次いで6番目で、ようやく大手百貨店と伍していける規模となり、9月9日の新館オープン初日は入店客数15万人、売上1億円と好調なスタートをきった。新館オープンのキャッチフレーズは「ヤング小田急の誕生」であった（図2-1-1）が、西口の若さ＝これからの成長をさらに予感させたのが、この2ヶ月余り後の西口広場の完成であった。

西口広場は、地上がバスターミナル、地下1階は公共広場を中心に鉄道各線や周辺ビルへの連絡通路と衣料・飲食などの店舗、地下2階は都内有数の規模をもつ駐車場と世界に例を見ない立体3層構造であった（図2-1-2）。この新しい都市空間は完成直後に多くのメディアに取り上げられ、「（副都心が）丸の内をしのぐビジネス街になることも夢でない」［週刊読売66年12月16日号］と書かれたように、西口広場の完成は新宿西口が副都心として発展していく〝若い街〟であることを象徴するものであった。

小田急ビルはその1年後、67年11月に完成した。これと一体化された地下鉄ビルをあわせて本館、それまで旧館と称していた東建ビルを別館とし、両館あわせて5万4000㎡の日本一の売場面積を誇る百貨店としてスタートすることになった。48年に小田急電鉄社長に就任したときから安藤が念願としていた自前の百貨店が、20年近くの時を経て、ようやく思い描いていた形で開業する日を迎えた。（図2-1-3）

11月23日に全館開店し、初日の入店客数は30万人、全フロアが終日満員となり、売上も3億円を超える大盛況であった。

新たな駅ビルは一部が地上14階、高さ62mで当時の新宿では最も高い建物であった。フロア構成は8階以下が

2-1-2　立体三層構造をなす新宿西口広場［『建築』91号］

2-1-3　小田急百貨店・全館開店広告［朝日新聞1967年11月23日朝刊］

通常の百貨店営業、9階から上の高層階は百貨店の補完的機能を果すフロアと位置づけられた。9～14階は、〝小田急スカイタウン〟と命名され、「味と美と文化のオアシス」として、レストラン、理美容などのサービス、書籍、各種教室、そして文化大催物場で構成された。

11階に置かれた文化大催物場は、新たに誕生した高層の街を特色づけ、ほぼ方形のスペースで面積は約1000㎡、天井高は高いところが4m近く、内部は固定の壁がなく可動の照明なので内容に応じてフレキシブルに展示壁と導線を造作することができ、展覧会場として非常に使いやすい造りであった。今度は本当の〝文化〟のための催物場で、小田急百貨店は展覧会に本格的に取り組むようになり、ここから30余年にわたって様々な文化を発信し続けた。

2　文化大催物場のはじまり

◉スタートの頃の展覧会

全館開店を記念する展覧会は、『**近代日本の夜明け展**』［67年11月／朝日新聞社］で、内容は日本の近代化に大きな役割を果した江戸時代の先覚者たち、渡辺崋山、杉田玄白、高野長英などの著書原本、遺品、作品を中心に、重要文化財を含む歴史的な史料約300点を展観するものであった。オープン催事としては硬派の感もあるが、発展に向かってスタートする百貨店にふさわしいタイトルであった。作家・大佛次郎は、「近頃にない意義もあり立派に整った展覧会」［朝日新聞67年11月29日夕刊］と、その内容を絶賛した。

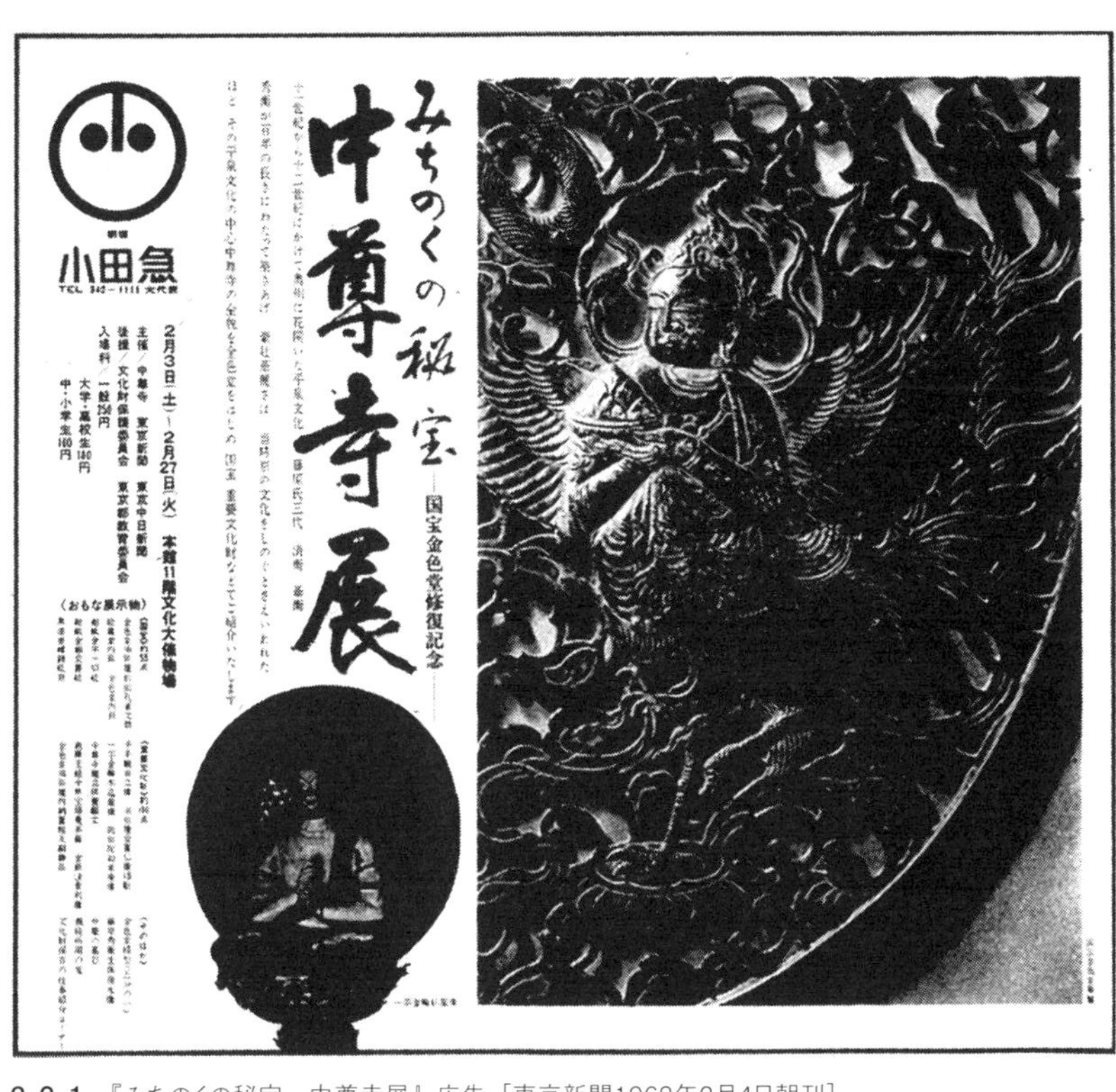

2-2-1 『みちのくの秘宝　中尊寺展』広告［東京新聞1968年2月4日朝刊］

その2ヶ月余り後に開催した『**みちのくの秘宝　中尊寺展**』［68年2月／東京新聞］は、金色堂の修復完成を記念して中尊寺所蔵の文化財277点で構成され、修復完成後は覆堂（さやどう）に収まるため今後堂外に出ることはないと言われる国宝の金色堂中央須弥壇前面や須弥壇安置仏像15体、〝人はだの大日〟と呼ばれる秘仏一字金輪仏坐像など国宝55点、重要文化財96点などが展観された（図2-2-1）。当時の中尊寺貫主は作家としても人気のあった今東光で、その今東光が導師となって行う開眼式をはじめ、出品文化財の解説、川端康成などの展覧会評、盛況な会場の模様など、主催の東京新聞は連日展覧会の話題を紙面に掲載した。充実した内容、話題性、主催者の盛り上げなどがうまくかみあって連日大入りの盛況で、何度も入場制限をしたと伝えられ、最終的に22

日間の会期で小田急の記録では13万6000人（発表は16万人超え〔東京新聞2月28日朝刊〕）の入場者数であった。11月のオープンから2月末までの3ヶ月余りの間の5本の展覧会で入場者総数は33万5000人、新しい小田急百貨店のアピールに大きく貢献し、文化大催物場は順調な滑り出しをみせた。

好スタートをきった文化大催物場であるが、オープンから8ヶ月後に開催した『**釈迦宮殿カピラ城発掘記念ネパール王国の秘宝展**』〔68年6月／ネパール王国政府、読売新聞社〕は、内容に疑問があると週刊誌から追及されてしまった〔週刊新潮68年7月13日号〕。それに触れる前に、当時の海外の文明、文化を紹介する展覧会について述べておきたい。

50年代後半から60年代にかけて、海外の古代文明や日本とはまだなじみの薄い国・地域の文化、歴史、自然を紹介する展覧会が数多く開催されていた。当時の日本人にとっては自ら海外に出向いて文化遺産や自然を体感するのは夢のまた夢という時代、その地の歴史や自然を示す古美術品や考古品、収集品などは、これまで見たこともない世界を目の当たりに示すもので、極めて人気が高く、集客が期待できるコンテンツであった。

『**エジプト美術五千年展**』〔63年3月〕や『**ツタンカーメン展**』〔65年8月〕〔いずれも東京国立博物館／朝日新聞社〕はその代表で、東京展のあとの巡回展も含めて、前者は122万人（東京・京都）、後者は日本の展覧会史上最高の記録となる293万人（東京・京都・福岡）という驚異的な入場者を集め、この記録は今も破られていない。私も中学生の時にこれを見にいったが、覚えているのはいつまでたっても会場に入れなかったこと、入場しても人の波の隙間からちらりとしか見えない展示品、目玉の黄金のマスクはついに現物を拝めずポスターのイメージだけが印象に残ったことである。

古代文明や海外の文化・自然の展覧会は、新聞社が独自で企画する場合もあったが、大学などの研究機関や学術団体の現地調査を新聞社が資金的な面も含め支援し、成果となる現地で発掘、収集した資料、写真を展示する展覧会も多かった。取り上げられた地域は、エジプトやイラク・イラン、アンデスといった古代文明では定番となる地ばかりでなく、東南アジア、インド、チベット、ヒマラヤ各地、西アジア、パレスチナ、オセアニア、中米、そしてアフリカとほぼ世界各地に及んでいた（なお中国の文明、文化の展覧会が盛んになるのは、72年の国交回復以降である）。そうした展覧会は主に百貨店を会場としてこの時期頻繁にあり、小田急百貨店でも以下のような展覧会を開催していた。

- **『世界の屋根　秘境ネパール展』**〔64年4月／読売新聞社、報知新聞社〕
読売、報知が後援した東京都立大学、大阪府立大学合同東部ネパール学術調査隊が63年に行った調査と、東海大学が行ったネパール西部地域一帯の民族、歴史、仏教遺跡の調査の成果となる、写真、仏像、工芸品、民具など。

- **『探険への招待　世界の秘境展』**〔68年1月／サンケイ新聞社〕
京都市美大、慶大、東大、同志社大など、10大学の探検隊が、ニューギニア、ソロモン諸島、アンデス、アフリカブッシュマン、ガラパゴス、ヒマラヤ、マヤ、アラスカ、アマゾン、オーストラリアから持ち帰った秘境、古代文明の調査資料。

- **『失われた人間性を求めて　アフリカ黒人芸術展』**〔68年5月／アフリカ協会、朝日新聞社〕
象牙海岸共和国（コートジボワール）国立アビジャン博物館収蔵の伝統的な彫刻や装身具など208点に、首都アビジャンの文化施設、風景、各種族の生活風俗の写真など。

・『太陽と獅子と武勇の帝国　エチオピア国宝展』［70年4月／エチオピア帝国政府、読売新聞社、報知新聞社］
アジスアベバ国立博物館、ハイレ・セラシエ一世大学考古学研究所所蔵の武具・甲冑、王冠、楽器、織物、絵画、装飾品など世界最古の帝国であるエチオピアの民族遺産など。

・『シルクロードの生活と民芸　文明の十字路美術展』［70年7月／共同通信社、東海大学］
68年10月から9ヶ月間、東海大学など4大学の中央アジア探検隊がシルクロードを中心にインド、パキスタン、アフガニスタン、イラン、イラクなどを踏査して収集した仏像、土器、武具、楽器、写本、民芸品など。

・『象牙海岸にみる民族の美　ブラックアフリカ芸術展』［72年6月／アフリカ協会、東京新聞］
象牙海岸共和国の国立アビジャン博物館所蔵の代表的各種木彫、マスクを中心とする同国の伝統的な文化遺産。

さて、『ネパール王国の秘宝展』であるが、ネパールの国立博物館や寺院が所蔵、秘蔵する12世紀から18世紀の古美術品、仏像、曼荼羅、経典、工芸品など百余点を日本で初めて公開するものであった。さらに、前年の秋、読売の後援で立正大学仏跡調査団が行った釈迦の出家地〝カピラ城〟の発掘で得られた資料も多数展示されたが、読売が展覧会を開催しようという契機になったのがこの発掘であった。週刊新潮は、仏跡調査団の「釈迦宮殿カピラ城発掘」の調査結果と、この展覧会を告知する小田急の広告に疑問があるとして記事にした。
〝カピラ城〟とは釈迦が四門の出遊で出家を決意した城で、これまで釈迦の事蹟に関わる主な場所は特定されていたが、カピラ城だけはどこに所在したのか学問的定説はなかった。

この年の2月20日読売新聞朝刊は、〈「カピラ城跡」つきとめる――立正大仏教遺跡調査団〉という見出しで、「読売新聞社と日本テレビが後援している立正大学仏跡調査団が、4ヶ月にわたってネパールのインド国境に近いチラウラコット遺跡を発掘調査したところ、そこからの多数の出土品とカピラ城のことを記した文献資料との一致があったことから、調査団はここをカピラ城跡と判定した。」と伝え、あわせて、「大変な発見だ」というインド哲学史の第一人者である東大の中村元教授の談話も掲載した。後日、調査団副団長が寄稿し〔読売新聞68年2月25日朝刊〕、調査の模様、判定に至る経緯などを伝えた。展覧会社告は、主な展示品の紹介とともに、「昨秋、本社後援で行われた立正大学仏教遺跡調査団が持ち帰った釈迦の出家地「カピラ城」の貴重な発掘品も多数展示」〔読売新聞68年6月27日朝刊〕と記載している。そして、小田急百貨店が読売に掲載した展覧会の広告〔68年6月29日朝刊〕では、「釈迦出家決意の城「カピラ城」みつかる」として、「ここにナゾとされていた聖地があきらかにされたのです」とのコピーをつけてアピールした。

新潮の記事の要旨は、「かかる大発見の割には判定の決め手がかなりあいまいであり、さらに学会で論議がされたわけでもなく、こうした中途半端な研究を売物にするのは問題である。宣伝コピーも誇大広告ではないか」ということで、それに対する関係者の言い分も載せている。

立正大学は「断定はしていなくて推定と考えている」、主催の読売は「立正大学の調査により〝個々に間違いない〟という裏付けがとれた」、会場の小田急は「コピー案は小田急で作ったが、読売、立正大学に確認はとってある。そもそも説が正しいかどうかは百貨店では判断は出来ない」と答えている。また、中村教授は自身の発言の趣旨と違う形で掲載されてしまったと語っている。ただ、その後、週刊新潮や他のマスコミが後追いをしたわけでもなく、調査団、読売、小田急それぞれが訂正を表明したわけでもなく、結局はその場限りの記事で終わった。

現在、立正大学はこの遺跡を「カピラ城の有力比定遺跡」と表現し、〝確定〟の地とはしていない。展覧会の時の〝発見〟は、どこかの勇み足であったのだろう。なぜそうなったかは今となっては藪の中であり、それをまた現在の価値観で詮索するつもりはないが、ここで取り上げたのは、百貨店が行う展覧会のありようの一側面を示しているためである。

展覧会の会場として、百貨店といわゆる公的な博物館・美術館との違いのひとつには、専門の人間を常置しているか、いないかがある。百貨店の展覧会のジャンルは多岐にわたるが、それぞれの内容に通じた人材が百貨店社内にいるわけではなく、多くは外部の専門家や専門機関が組み立てた内容に基づいて展覧会を行っていく。専門家・専門機関は、自らが主催者である場合もあり、主催の新聞社などに依頼される場合もあり、時には百貨店が選んで委ねる場合もありだが、いずれにしても展覧会の内容の正確性は専門家・専門機関が担保し、責任はそこに委託した側にあるという構図になる。

週刊新潮に掲載された小田急の担当者の言い分はこの構図だからこそで、この場合は主催の読売新聞社がそう言っているのだから事実としてとらえるというスタンスとなる。展覧会を実施するにあたって、内容に踏み込める専門家を自らで置いていないことがほとんどであった百貨店の限界を示すケースと言えよう。

◉博物館のような展覧会

週刊新潮の記事には、〝秘宝〟は人を集めやすいと書かれている。確かに紹介した『中尊寺展』のサブタイトルも「みちのくの秘宝」であるが、この時代、海外の文化遺産や日本の寺社の展覧会では、よくサブタイトルやキャッチコピーに〝秘宝〟〝秘仏〟がつけられていた。今の感覚では、その国の国立博物館で普通に展示されているものを〝秘宝〟というのはいかがなものかと突っ込みをいれたくなるが、マル秘と言われれば余計に見たくなるのが人の常で、そうした心情をついた表現であった。

珍しい物、めったに見ることが出来ない物を並べて人を集めようというのは博覧会のひとつの側面であるのだから、その末裔である展覧会が、マル秘の展示品があるとアピールして見に来てもらおうとするのも不思議ではない。百貨店の催し物には、お客様に買い物以外のひと時の楽しさを提供する役割もある。文化的な催し物であっても、博覧会的なエンターテインメントの要素を組み込んでいくことは普通になされていて、マル秘の物も含めて、未知の世界の物、想像でしか思い描けない物を展示することで、お客様の知的好奇心を満足させていこうというのも百貨店の展覧会のひとつの在りようであった。

科学や歴史には、知的好奇心を刺激する題材にことかかず、百貨店の展覧会でもよく取り上げられていた。科学系の催し物であると、宇宙や乗物、昆虫や爬虫類、恐竜など、歴史系では著名な人物やその事蹟など、人気があってわかりやすく、ショーアップをしやすいテーマの展覧会が多かったが、一方では、科学博物館や歴史博物館で展観されるような、専門的な内容にウェイトが置かれた展覧会も各店で開催されていた。

小田急百貨店では、第1章で紹介した通り、本館開業以前には、他店ではあまり見られない地学系のテーマの展覧会をいくつか行っていたが、文化大催物場の開設以降は、地学系に考古学系も加え、博物館に準じるような内容の展覧会を年に1本程度のペースで開催し、小田急の展覧会の特色ともなっていた。

•**『発掘10周年記念　埋れていた奈良の都＝平城宮展』**〔69年1月／朝日新聞社〕

奈良国立文化財研究所が59年に本格的な発掘調査を始めてから10年を機に、発掘された貴重な資料をはじめとする研究成果を公開。木簡、瓦、土器などの発掘品や研究資料、写真、模型など。（図2-2-2）

2-2-2 『平城宮展』をご高覧の皇太子殿下・同妃殿下［『25年史』］

・『2000年前の日本　弥生人展』［70年4月／朝日新聞社］

弥生遺跡発掘調査の成果をまとめ、この時代を担った人々の生活と社会、朝鮮半島南部との深い関係という問題などを、戦士の人骨や武器、農具、生活用具、土器、装飾品など出土品で探る。奈良国立文化財研究所、東京大学などが協力。

・『地球展　極地の過去と現在を中心として』［70年12月／国立科学博物館、朝日新聞社］

近年行われた南極、北極の学術調査の研究成果と、世界各地で発掘された代表的な化石類により地球の歴史をふりかえる。地上に栄えては滅びていったいろいろな生命をふりかえり、人類の未来を考える。

・『日本列島展　その誕生から人間登場まで』［72年4月／国立科学博物館、朝日新聞社］

17億年前の岩石をはじめ、地質時代の変遷を物語る岩石、化石から旧石器、縄文の遺跡の出土品、骨、パネル、模型のほか、数億年前には海の底であった日本列島が現在の形になるまでを紹介。あわせていま問題となっている自然環境破壊を考える。

●『飛鳥展　その謎をさぐる』〔72年10月／朝日新聞社〕

飛鳥の遺物、遺跡発掘調査の出土品を中心に、仏像や遺跡の復元模型、写真など、国宝山田寺仏頭や重要文化財を展観。72年に発掘が始まった高松塚古墳出土の副葬品を特別出品。奈良国立文化財研究所、奈良県立橿原考古学研究所が協力。

●『国立科学博物館人類研究室創設記念　骨からみた移りかわり　日本人類史展』〔73年10月／国立科学博物館、朝日新聞社〕

百数十体の人骨を中心に、土器や埴輪などの出土品とともに、縄文時代から現代まで日本人の進化の足取りと歩みを自然人類学的にたどる。

●『縄文人展　自然に生きた祖先の姿』〔75年4月／朝日新聞社〕

縄文時代の生活と文化を、日本各地における縄文時代の火焔土器15点を含む縄文土器や初公開の大土偶などの出土品や復元住居、写真などにより再現し、日本と日本人の源流について考えるきっかけにする。奈良国立文化財研究所が協力。

78年に雑誌『宣伝会議』に掲載された、小田急百貨店文化催事課長小林久夫の〈企業イメージ形成に寄与した文化催事〉によれば、「文化催事には店の個性創出という役割があって、そのために〝オリジナリティ〟は不可欠であり、小田急の文化催事のオリジナリティを示す中心路線のひとつがこれらの「歴史・考古シリーズ」の展覧会である」としている。

本館が開業する以前に開催していた地学系の展覧会、『富士山展』、『日本の火山展』、『地震展』について、他店ではこの種のものはほとんど開催の実績がないと指摘した。文化大催物場開設後も同じ流れでこうした展覧会を開催し、やはり他店にはない独自の展開を示していた。

『平城宮展』以下の展覧会について、主催の朝日はシリーズ企画として考えていたようである。いずれも、国立科学博物館、奈良国立文化財研究所という公的な研究機関が積み重ねてきた成果をもとに、それぞれが監修、協力して、学問的な裏付けをもって構成している点、専門的な内容を、豊富な資料とともに出来る限りの平易な解説により理解を促そうとしている点、図録の内容構成や判型が共通している点などから、それは窺える。国立科学博物館は、『地球展』、『日本列島展』、『日本人類史展』を朝日との共同企画による科学知識普及の展覧会と位置づけていた。科学や歴史の専門的な分野を、一般にもわかりやすく展覧会に仕立て上げていくのは非常に労多く、それをシリーズで続けていたことは、やはり小田急百貨店の展覧会の個性と言っても良いだろう。

発掘資料や考古資料などの出土品を中心とした展示は非常に難しい。土器、石器、化石、岩石標本、人骨、獣骨などの出土品は、それ単体で見ても、ほとんどの場合それとテーマ全体との関連性を理解することはむずかしく、また展示品の色味がほぼ土色か灰色であるため、それらを並べるだけでは会場全体の印象が暗く単調になってしまう。そこで理解を助けるために、解説、写真、地図、年表などの多数の展示パネル、そして場合によってはレプリカやジオラマなどが製作され、展示造作や照明でも演出を行うことになる。上記展覧会の展示がどのようなものであったかを示す資料はないが、そのほとんどにディスプレイデザインの専門会社が入っていることからも、会場構成にはそれなりの工夫をし、またお金もかかったのではないかと推測される。

内容は博物館で行われるような、教育的、専門的な展覧会であったが、それぞれの入場者数をみると、最も多い『弥生人展』が11万人超え（1日平均6700人）と『中尊寺展』に次ぐ実績を上げ、その他も5万〜8万人の鑑賞者を集めていることからも、こうした展覧会は人々の知的好奇心を満足させ、都市生活者の文化的なニーズにも合致していたと言えよう。

これらとは別の、この時期にあった博物館的な展覧会をひとつ紹介する。

「唐澤教育博物館初公開」と題した**『寺子屋から150年　実物でみる児童文化史展』**〔69年2月／サンケイ新聞社〕である。

東京教育大学の唐澤富太郎教授が30年にわたって収集した、江戸時代の寺子屋から戦後までの子どもの生活文化を示す数千点の資料から教科書、教具、文房具、玩具などの貴重な800余点で「目でみる教育史」として構成された。「唐澤教育博物館」となっているが、この時点ではまだ収蔵庫の状態であり、実際に公開できる博物館が練馬区内にオープンしたのは93年で、現在も活動を続けている。唐澤は、歴史を実証するためには実物をもって解き明かすという考えにより、情熱と執念で膨大なコレクションを築き上げていたが、そうした個人による歴史博物館としての活動を紹介する展覧会も小田急百貨店では行っていた。（「サンケイ新聞69年2月26日」〔唐澤博物館のWebサイト〕）

◉マニアのための展覧会

百貨店では、趣味の展覧会もよく開催されていた。最もポピュラーなのはいけばな展であるが、書道、手芸、絵画、写真などの習い事、カルチャースクールの発表会は、百貨店としては流派・教室の会員動員による店への集客、流派・教室としては百貨店の集客力による新規会員の獲得と、お互いに持ちつ持たれつでメリットのある展覧会であった。趣味の展覧会のもうひとつは、マニア、コレクター、ファンを対象に、コレクションや機器、道具、情報を展示して、その趣味の人たちを動員するもので、例えば、髙島屋で60年から毎年開催されていた『**日本カメラショウ**』は、毎回多くの入場者を集めていた。

文化大催物場、小田急グランドギャラリーでも習い事としてのいけばなや書道の展覧会は80年代に至るまでよく開催していた。また、同じ11階に産経学園があった関係で、その教室の発表展も行っていたが、マニアやファンに向けた展覧会は初期のころにいくつか開催していたので、それを紹介する。

・『**私の趣味・文化人コレクション展**』〔68年8月／スポーツニッポン新聞社〕
「各界名士ご自慢の逸品珍品」として、政治家、作家、俳優、歌手など20数名の有名人が蒐集した骨董品や文具、意外な品、面白い物など。入場者は10日間で4万人超え。

・『**走れ！蒸気機関車展**』〔69年7月／読売新聞社ほか〕
夏休み期間で、子ども向けの企画ではあるが、手動軸やシリンダ、ピストンなどの実物部品や本物のナンバープレートなど、蒸気機関車マニアも対象に展示構成をしていた。入場者は17日間で10万人超え。

・『**世界の釣り展**』〔69年8月／デイリースポーツ〕
釣りがブームと言われている中、オリムピック、ダイワ、がまかつといったメーカー、販社など20余社の協力により、国内外の釣り具コレクション、竿・魚拓の製作実演、フライキャスティングの実技指導と実演、世界の

2-2-3　『日本プロレス大展覧会』広告［東京スポーツ1971年3月5日］

有名釣り場の紹介、釣り相談、繊細な日本の釣りからゲームフィッシュ、トローリングなど、釣りのすべてを紹介。展示会だけではなく、魚の保護と放流、今の日本の釣り界が置かれている現状と今後の方向性を伝える試みとしている。

カンカンおこした炭火で竹に火入れをして和竿をつくる実演が人気を集め（さて消防法は大丈夫だったのだろうかと気にはなるが）、また幻の渓流魚と言われるイワマス、ヤマメを泳がせる水槽、さらに海外有名メーカーの高級釣り具の紹介では男の趣味の部屋をしつらえてそれらを配置するなど、会場造作にもかなりの費用をかけたと推定され、この種の催しでは異例の2週間会期で、デイリースポーツの発表では、1日平均7000人（小田急の記録は平均3800人、12日間で4万4000人）と、いずれにしても大盛況であった。

•**『日本プロレス大展覧会』**［71年3月／日本プロレス協会、東京スポーツ新聞社］

日本プロレス20周年を記念して、故力道山の遺品、チャンピオンベルト、トロフィー、人気レスラーたちのファイト写真の特大パネル、馬場、猪木、吉村や外人レスラーたちのサイン会、会場内に特設リンクを設けて若手の公開練習などなどで、5日間で6万人の入場者と記録されている。（図2-2-3）

・『音の祭典　'69オーディオショー』〔69年5月〕

当時のオーディオブームのもと、パイオニア、ソニー、トリオなど音響機器のトップメーカー8社が参加し、各社の新製品を中心とした展示のほか、技術相談会や各社所属の歌手たちによるアトラクションを実施。70年、71年と3年続けて開催された。毎回、1日平均6000人の入場者であった。

こうしたマニアやファンに向けた展覧会も、この頃は非常に多くの入場者を集めていて店への集客に大きな力を発揮していた。

3　60年代後半の都内百貨店

60年代は百貨店の黄金時代とも言われ、個々の店の盛衰はあるものの百貨店業界全体としては大きく成長していた。急激な経済成長と大幅な所得増加のもとで、全国百貨店売上高は66年以降4年続けて前年を上回り、69年には前年より17・2％増加した。都心の百貨店でも、新築・増築があっても各店間のパイの食い合いにはならず、全体では売場面積増以上に売上増になるという好循環にあった。とは言え、売上競争は熾烈であり、特に副都心とされた新宿、池袋、渋谷ではそれぞれの地域内のシェアをいかに拡大していくかで、各店とも厳しい競合状態にあった。

小田急百貨店は本館開業後、順調に売上を伸ばし、67年以降ほぼ毎年、東京23区内の百貨店売上合計の前年比を上回る実績で、ようやくこれまでの苦労が報われつつあった。小田急の本館開業の翌年9月、伊勢丹は本館の隣の旧新宿丸物の場所に、新たに地上8階、地下1階の建物を新築し、〝男の新館〟としてオープンした。これにより伊勢丹は小田急にせまる売場面積を確保したが、新宿三越、新宿京王も売場面積を大きく拡大し、新宿地区は伊勢丹、小田急、京王、三越の4百貨店が競合する百貨店激戦区となっていった。

池袋では、東武百貨店が62年5月に、申請の半分以下の1万2000㎡弱の売場面積で西口に開業していたが、64年に売上不振の池袋東横を買取り、これを別館として営業を開始した。また西武百貨店は堤の改革が功を奏し、加えていち早くエルメスなどヨーロッパの高級ブランドを導入して店のイメージアップにも成功して、池袋だけでなく都内の百貨店業界の中でも存在感を示すようになり、65年には日本橋三越、同髙島屋、新宿伊勢丹と並んで4万㎡超えの売場面積を構える店となっていた。

こうして、池袋では、57年に開業していた三越、丸物とともに、60年代中頃には新宿と同様に4百貨店がしのぎを削る百貨店激戦区となっていた。しかし、地区別の商業売上では新宿、渋谷に比べると池袋の伸びは鈍く、百貨店の売上もそれまで日本橋地区に次いで都内二位の売上げだった池袋地区が新宿の躍進で三位に転落し、いずれ東急が新店舗を増築し西武の進出も予定されている渋谷にも抜かれてしまうのではないかと、その可能性も取りざたされていた。

そうした状況下で、丸物は隣接する西武の躍進、駅前整備や駅改修による購買客の流れの変化などもあってさらに売上げ不振に陥り、68年には西武百貨店が共同経営にのりだしたが、売上げの改善とはならず結局翌年6月に閉店となった。その後、西武はこれを買取り、百貨店ではなく新たな業態となる、専門店を集積したファッションビルとした。同年11月、ファッション専門店〝パルコ〟としてオープンし、「ファッションのペースメーカ」、

「新しいカルチュアの泉」〔朝日新聞69年11月17日夕刊〕のキャッチフレーズを掲げ、個性的なテナントショップの集合による相乗効果と、夜8時まで営業するナイトショッピングで、若い女性たちから圧倒的な支持を得る店となっていった。

渋谷は、新宿、池袋とは異なる様相の競合となった。

東急電鉄の本拠地である渋谷は、百貨店は駅上の東横の1店舗だけで、繁華街は駅まわりと道玄坂沿い、そしてその北側の一角にとどまって広がりや奥行きがなく、新宿、池袋に比べると賑わいに欠けたさびしい街という印象を持たれていた。

池袋西武の経営改革に邁進していた堤が渋谷進出を決めたのは63年、それから紆余曲折を経て渋谷西武は68年の4月、2館体制、2万4000㎡の売場面積で開店した。東急の牙城に西武が殴り込み、先代の五島慶太と堤康次郎からの因縁の対決と、財界雀は面白おかしく喧伝していたが、堤としてはあくまでも経営上の冷静な決断であった。堤は西武百貨店の経営戦略のひとつに多店舗展開をあげていて、渋谷出店はその第一歩という位置づけであった。そして、多店舗展開の一番目に渋谷を選んだのは、非常に豊かなマーケットを持ちながら百貨店は東横だけと極端に競争条件が少なく、しかもまだまだ発展する余地があるという、マーケティングから導き出された渋谷のポテンシャルにあった。

一方の渋谷東横は、競争のない1店舗独占の弊が如実にあらわれていた。60年代前半には、競争意欲に乏しいと言われ、他店に比べて売上伸び率も低水準であった。加えて池袋支店の赤字、合併した白木屋の不振もあって、株式会社東横の業績は決して満足のいくものではなかった。東急の総帥・五島昇はこの状況を打開するため、63年、伊勢丹を三越に並ぶ水準にまで押し上げることに腕をふるい、そこで常務までつとめた山本宗二を副社長として迎え、東横の経営を全権委任して立て直しを託した。西武の渋谷出店が明らかになったのは、山本が再建に乗り出したばかりの頃であったが、山本は東横の改善には経営の改革だけでなく街の発展が不可欠と考え、東急の主導で地元の商店会とともに〃渋谷再開発協議会〃を立ち上げた。ここで進められた開発計画の一環として、駅から道玄坂方向へ500mほど離れた場所にある、東急がアミューズメント施設の新設を想定して渋谷区から払い下げを受けていた小学校跡地に、新たに東横の新館が建設されることになった。東横としては、西武に対抗するためには増床は不可欠と考えていたが駅まわりに土地はなく、社内では明治通りをはさんだ場所にある東急文化会館内で増床という話もあった。しかし、それでは渋谷の街が広がることにならないとの判断で、道玄坂商店街の活性化も目指してその場所に新築となった。また山本は、新宿、池袋は、競争は厳しいけれども、それによって地区全体の購買力がスケールアップして伸びも良いとし、西武の進出を前向きにとらえ共存共栄は可能と考えていた。そして67年9月に社名を東横から東急百貨店に変更し、新館を東急百貨店本店として1万7000㎡の売場面積、従来の店舗は東横店として2万6000㎡、あわせて4万3000㎡で西武を迎え撃つことになった。両店のすみ分けは、松濤など高級住宅地を背後にもつ本店は高額衣料を中心に高級イメージで、東横店は食料品、雑貨を主力として、同年11月、本店はオープンした。なお、社名変更に伴い、〃東急〃イメージの分散を避けるために日本橋白木屋を〃東急百貨店日本橋店〃とし、300年の伝統をもつ〃白木屋〃の名が日本橋から消えることになった。

68年4月、渋谷西武のオープンとなったが、新宿、池袋と異なる様相と述べたのは、この後、特に70年代に入ると、渋谷地区では百貨店という〃点〃の競合ではなく、東急、西武、それぞれのグループによる、百貨店を含めた商業地域という〃面〃の競合となっていた点である。具体的には東横店と本店を両端としてその間の道玄坂を含む地域は東急グループ、渋谷西武を起点として区役所方向へ、後に公園通りと呼ばれるようになる一帯は西武流通グループと、両企業グループが渋谷の商業覇権を争うことになっていった。

百貨店の激しい競合は、紹介した副都心の新宿、池袋、渋谷ばかりでなく、日本橋、銀座などの都心部においても同様で、業績を上げていくためには一定以上の規模は必須と考えられ、百貨店業界では既存店も増改築を行い、店舗の大型化を図っていった。それとともに、集客については自店の商圏だけでなく、もっと広い範囲から呼び寄せることが求められるようになり、その方策の一つが展覧会であった。

お客様に来店をしていただく基本は商品、品揃えであり、これが無ければ店のファンは増えていかないが、浸透していくには時間がかかる。その点、展覧会は即効性のある集客策であり、店を知ってもらうきっかけになる。これまでもその時々で人々の興味に沿ったテーマで大がかりに開催して集客を図っていた。例えば50年代には、文化財保護制度が変わったことで新指定となった国宝・重要文化財がキラーコンテンツで、寺社展を始めとする古美術展が各店で度々開催され、いずれも多くの人々を集めていた。

これまで自店になじみのない人に、そして広い範囲からも来店をしてもらうためには、やはりわかりやすく、誰もが目にしたいと思っているものをテーマにすることが有効である。50年代には、それは国宝・重文であったが、この頃からは、印象派、エコール・ド・パリなどを始めとする欧米の美術がその地位を占めるようになっていった。国際収支の好転で海外から作品を借用しやすくなったこと、また百貨店各店の業績が向上し続けたことで催し物にかけられる経費も増大したことなどにより、これらの展覧会の増加は著しく、しかもそれぞれが本格的な内容でかつ大規模に開催されるようになった。

実際に、渋谷東急本店は、スイスの近代美術財団の所蔵品53点による**『エコール・ド・パリを中心とした　フランス近代絵画展』**［67年12月／朝日新聞社］を、渋谷西武はルーブル美術館ほか各国からの71点の作品により日本で初めてとなる『**モジリアニ名作展**』〔68年5月／読売新聞社〕を、いずれも開業早々に人気のフランス絵画の美術展で集客を図った。

この他にも、『**素朴派の世界　アンリ・ルソー展**』〔池袋西武／66年9月／読売新聞社〕、『**ルノワール展**』〔上野松坂屋／67年8月／毎日新聞社〕、『**ゴーギャン展**』〔渋谷西武／69年8月／読売新聞社〕、『**バルビゾンの画家たち　ミレー展**』〔渋谷西武／70年8月／読売新聞社〕、『**スイス・プチパレ美術館所蔵　20世紀名画展**』〔日本橋髙島屋／71年1月／毎日新聞社〕、『**マリー・ローランサン展**』〔新宿伊勢丹／71年9月／読売新聞社〕、『**光と色彩の讃歌　ルノワール展**』〔池袋西武／71年10月／読売新聞社〕といったフランス絵画の展覧会がこの時期にあった。

紹介は一部であるが、いずれも海外の美術館や個人が所蔵する作品によって構成され、レベルの高い本格的な美術展であった。それぞれ集客も好調であったようで、70年の『ミレー展』は39万人、71年の『ルノワール展』は56万人の入場者と伝えられている。〔〈戦後海外美術展うらおもて〉『芸術新潮』1986年2月号〕

また、この頃から百貨店では外国の物産品、輸入商品を大々的に売り出す海外フェアも盛んに開催されるようになり、その国の芸術・文化・歴史の展覧会がフェアの盛り上げで一緒に行われるようにもなった。上記の『アンリ・ルソー展』は『西武フランスフェア』の一環として開催され、その他にも日本橋髙島屋の『大フランス展』では『**フランス近代名作展**』〔68年9月／後援：朝日新聞社〕、池袋西武の『大ベルギーフェア』では『**ルーベンスの世紀展**』〔69年5月／読売新聞社〕などがあった。

美術展以外でも、海外フェアと文化・歴史の展覧会との併催もよくあり、一例をあげると銀座松坂屋の『フランスフェア』では『**フランス王朝美術　ルイ14世展**』〔68年9月／毎日新聞社〕、新宿伊勢丹の『オールアメリカンフェスティバル』では『**リンカーン大統領展**』〔69年5月〕といったその国を象徴する歴史的な人物にスポットをあてた展覧会もあった。

69年には、自由世界第2位の経済大国となった日本の市場への輸出拡大のために、イギリス政府が同国商務省の主催により武道館で『英国フェア』を開催した。都内の百貨店は軒並みこれに協賛してイギリス直輸入商品を大々的に展開し、それにあわせてやはり各店横並びでイギリスの文化・芸術・歴史の展覧会を開催した。小田急百貨店も全館で『英国フェア』を展開し、文化大催物場ではロンドン博物館やウェストミンスター寺院の所蔵品などを中心に**『'69これが英国史展』**［9月／毎日新聞社］を開催した。

このように各店では広範囲からの集客を目指して展覧会に力を入れていた。銀座三越では60年頃から67年まではほとんど文化的な催し物は行っていなかったが、68年10月に全館新築開店記念で、イタリアからの出品を得て、ベネチア黄金期の美術品100余点を展観する**『18世紀ベネチア巨匠美術展』**［日本経済新聞社］を開催し、以降、展覧会を頻繁に行うようになった。小田急百貨店の文化大催物場の開設も、やはり広範囲からの集客という当時の百貨店の展覧会に対する考え方によるものと思われる。

第3章

高度成長と若者の時代に

1 社会・文化の変動とともに

70年前後は、高度経済成長によってもたらされた矛盾が社会の様々な面で露わになり、さらにベトナム戦争、沖縄返還などもあって、それらに対する市民運動、学生運動の高揚の時期でもあった。それはまた世の中に、権威や常識を否定する気分ももたらし、百貨店でもそうした社会の動きを色濃く反映した展覧会が開催されるようになった。

華やかな芸術文化を紹介する一方で、戦争、公害、人権といった社会的な問題をテーマとした展覧会が、この頃から百貨店で散見するようになる。戦争の展覧会は、敗戦後しばらくの間は、都内百貨店ではシベリア抑留や原爆を取り上げたものがいくつかあったが、50年代になるとほとんど開催されることはなかった。戦後20年を経て、60年代後半頃から、太平洋戦争を始めとする過去の戦争の歴史的な回顧とともに、戦争によって銃後の守りにあった一般市民が被った惨禍や海外の惨状を伝える、『**写真展=人間・戦争・生命**』〔銀座松屋/67年8月/毎日新聞社〕、『**原爆ドーム保存工事完成記念　ヒロシマ原爆展**』〔銀座松坂屋/67年9月/広島市、朝日新聞社〕、『**写真展「ベトナム!戦争と民衆」**』〔日本橋東急/68年2月/朝日新聞社〕、『**長崎原爆展**』〔銀座松坂屋/68年8月/長崎市、朝日新聞社〕、『**写真展　ビアフラの悲劇**』〔日本橋東急/70年1月/朝日新聞社〕、『**25周年記念　ヒロシマ・ナガサキ原爆展**』〔日本橋東急/70年8月/広島市、長崎市、朝日新聞社〕、『**炎と恐怖の記録　東京大空襲展**』〔日本橋東急/72年2月/東京空襲を記録する会、朝日新聞社〕、『**アウシュビッツ展**』〔日本橋東急/72年4月/ポーランド国立アウシュビッツ博物館ほか〕といった展覧会が開催されるようになった。また、人権や公害を取り上げた、『**「人権は守られてきたか」展　自由と解放の100年**』〔銀座松坂屋/69年4月/東京都人権擁護委員会、朝日新聞社〕、『**「社会運動の半世紀」展**』〔日本橋東急/69年5月/大原社会問題研究所、朝日新聞社〕、『**水俣:生　その神聖と冒瀆　ユージン・スミス写真展**』〔池袋西武/73年4月/朝日新聞社〕のような展覧会もあった。

これらはほんの一部の紹介で、70年代以降もこの種の展覧会は各店で行われているのだが、全体を通して見ると、会場は日本橋東急と銀座松坂屋が多い。確かな理由はわからないが、一つ考えられるのは、〝類は友を呼ぶ〟である。一般的に、華やかな芸術文化ほどにはわかりやすくなく、ある意味むずかしい展覧会であるほど、企画をする側は実績のある会場にまず話を持っていくことが多い。これは、実績のある会場は内容の理解が早いこと、また、前例があると会場となる会社の中でコンセンサスが得やすいことも期待しての提案で、その結果、同種の展覧会は同じ会場で開催されがちになる。そのようなことも理由にあったのではないかと推測する。

こうした、社会的な問題をテーマとした展覧会でも、多くの入場者があったとの記録はかなりある。もちろん会場側は集客も考慮するだろうが、ただそれだけが目的であったとは考えられない。集客が目的であるならば、百貨店本来のありようからはずれた重たいテーマをわざわざ選ばなくとも明るく楽しい文化的な素材はいくらでもある。日本橋東急、銀座松坂屋ばかりでなく、他店でもこうした展覧会が度々行われているのを見ると、やはりそこには内容に対する共感とそれを伝えようという思いが、会場となる百貨店の内部にも共通してあったと考えられる。そして世の中の多くの人が、それに関心を抱くという確信を会場側が持つことができた時代でもあった。

小田急百貨店では、70年代にはこうした社会的なテーマを直接的に扱った展覧会はなかったが、文化的なテーマで時代の雰囲気を映し出す展覧会は、他の百貨店と同じように開催していた。

◉異端と狂気

「高度成長期の大きな文化変動は1964年に始まり、68年をピークに、72年に完了する」とは、評論家・坪内祐三の見立てである［『一九七二』坪内祐三］。確かにこの時期、日本の文化事象は様々な場面でそれ以前とは全く違う様相を示し続け、新宿では特にその流れが先鋭的に表出していた。

60年代半ば、ATG[1]の主力映画館である新宿文化、花園神社では唐十郎の紅テント、寺山修司の天井桟敷は街頭演劇、ナベサダが演奏拠点にしていたピットイン、フーテン、ヒッピーがたむろする新宿風月堂など、新宿の東側は新しい文化が混沌と渦巻いて独特の雰囲気を醸し出し、時代を先取りする若さがあった。一方、西側は、いずれは東洋のマンハッタンと言われ、これからの発展を予感させる若さがある。つまりは東も西もひっくるめて新宿は〝若者の街〟で、「新宿は東京で一番未来のある素敵な盛り場で、新宿だけが群をぬいた可能性と力をもっている」［毎日新聞69年6月29日朝刊］と遠藤周作に言わしめる街であった。

あふれる若者のバイタリティはそれに止まらず、やがて新宿駅騒乱事件[2]を引き起こした後、反体制の舞台は西側にも広がっていった。新宿西口広場では毎週土曜日に反戦フォーク集会が行われて多くの若者の歌声が響きわたり、不可避的に機動隊と衝突、その後、広場は〝通路〞とされて集会禁止となった。こうした新宿での突出した動きが、小田急百貨店の営業活動に何か影響をもたらしたということは別になく、せいぜい新宿駅騒乱の時に閉店の時間を繰り上げた程度であるが、世の中が求める文化を映し出す展覧会となると、当然時代の雰囲気に反応していくことになる。

文化の変動は、権威や常識の否定、視点の転換、新たな価値の発見、埋もれた存在の掘り起こしといったところから生じるが、こうした流れに共感する人々が増加していく一方で、好況によってもたらされた経済的な安心感のもとで、過激な活動とは距離をおいて知的好奇心の充足に向かう、社会の中で大多数を占める安定した都市生活者もいる。前章であげた、博物館で行われるような展覧会の観客もそうした人たちであろうか。とは言え、珍しいもの、見たことがないものへの好奇心を満足させるのが展覧会であるならば、世の中の先端をいく潮流に無関心ではいられない。流れに若干のタイムラグをおき、人々の関心の高まりをはかりながら、百貨店ではこれまでとは異なる傾向の展覧会が開催されるようになった。

一例をあげると、池袋西武では、「この怠惰なる平和の中で！」のキャッチで、暗黒舞踏の土方巽、パロディで世相に斬りこむマッド・アマノなどの活動を伝える『**狂気、怪奇、叫喚**』［70年8月］が（図3－1－1）、日本橋東急では、「衝撃のビジュアル・フィーリング」と題して、〝清純派〞女優・鰐淵晴子のイメージを打ち破るヌード写真を中心に、ビデオの映像を展開した『**タッド・若松映像展**』［70年12月］が開催され、これらは、従来の〝文化的な催し物〞とは異なる、時代の動きをつかみ、人々の今の関心にフィットしようという展覧会であった。

文学展も、これまでの文豪、大家とは一線を画した『**織田作之助、田中英光、坂口安吾三人展**』［新宿伊勢丹／69年1月／毎日新聞社］で3人が「反逆と無頼の作家」として取り上げられ、70年11月の自死直前に開催された『**三**

3-1-1　『狂気、怪奇、叫喚』池袋西武広告［東京新聞1970年8月28日朝刊］

島由紀夫展』［池袋東武］も時代の雰囲気を反映するものであった。

また、実現した展覧会ばかりでなく、「日宣美は商業主義に堕し」と主張する美大生たちの〝日宣美粉砕共闘会議〟の造反で開催出来なかった『第19回　日宣美展』［新宿京王／69年8月に予定］も時代の動きにシンクロして幻の展覧会となってしまった。

寺社の展覧会では、定番の著名神社仏閣とは一味違う『地獄極楽　恐山展』［上野松坂屋／73年3月／読売新聞社］があり、美術の展覧会でも、これまでは美術史の中で正統とされていなかった人物や、まだ広く一般には知られていない分野をとりあげる動きが出てきた。

例えば、近世の日本美術の展覧会では、特異な芝居絵を描いた幕末土佐の奇才町絵師・絵金の『土佐「絵金」展』［池袋西武／70年11月］、『絵金展』［渋谷東急／71年8月／毎日新聞社、高知県観光連盟］や、タブーに果敢に挑戦し、戯画による風刺や大胆な構図の武者絵で江戸時代後期に庶民をわかせた浮世絵師・国芳[3]の『鉄火の浮世絵師　国芳展』［銀座三越／72年2月／朝日新聞社］が開催されていた。

3-1-2　『近世異端の芸術展』広告［日本経済新聞1971年6月25日夕刊］

小田急百貨店では、江戸中期、既成の画壇、伝統にあきたらず強烈な個性を表現した蕭白、芦雪を中心とした『**近世異端の芸術展**』［71年6月／日本経済新聞社］が開催された(4)（図3-1-2）。企画としては若冲の本画も加えての構成としたかったようだが、9月に東京国立博物館で代表作80点などによる『伊藤若冲展』が開催されるため、小田急の展覧会ではやむなく若冲については下絵など14点の出品にとどめたとしている［同展図録］。ただ、東京国立博物館において、反逆、異色とも称される若冲の、大正15年以来の公開となる御物「動植綵絵」30幅などを中心とした初めての大規模展が企画されるのも、やはり時代の雰囲気を反映していると言えよう。また、異端の切り口では、新発見、初公開を含め彫刻140余体と書画、和歌などをあわせ計300余点を展観した『**異端の放浪者　円空・木喰展**』［73年7月／朝日新聞社］も小田急で開催された。

◉幻想と背徳

想像でしか見えない事物や風景、夢や幻視の世界を画面に描いていく幻想的な絵画は、ヨーロッパのボッシュやブリューゲル、日本の地獄草紙や餓鬼草紙など昔から幾多もあるが、現実からの飛躍や見えないものを見せることで生じる新たな視点など、この時代にマッチする

3-1-3 『現代の幻想絵画展』広告［朝日新聞1971年11月4日夕刊］

要素を多分に持っていたと考えられる。

この頃、美術館などでも〝幻想〟の展覧会が開催されるようになり、日本人が造形美術に表現した幻想をテーマとして縄文土器や埴輪から山越阿弥陀図、能面、白隠、応挙、国芳などを展観する『「日本の幻想」展』［サントリー美術館／65年3月］、日本美術における幻想を縄文から現代まで考古品、絵巻物、仏画、仏像、浮世絵、絵画、彫刻などで解き明かす『「現代の眼　東洋の幻想」展』［国立近代美術館／66年5月］があった。また、近現代のヨーロッパの画家でも、幻想の系譜に連なる、ダリ［東京プリンスホテル特設会場／64年9月／毎日新聞社］、モロー［国立西洋美術館／64年11月］、アンリ・ルソー［池袋西武／66年9月／読売新聞社］、ムンク［神奈川県立近代美術館／70年9月／東京新聞ほか］、マグリット［東京国立近代美術館／71年5月／毎日新聞社］、アンソール［神奈川県立近代美術館／72年9月／東京新聞ほか］、ルドン［神奈川県立近代美術館／73年9月／東京新聞ほか］などの大規模な展覧会が開催されていた。

日本では、戦後になって多くの画家が、洋画、日本画、版画を問わず、幻想的な絵画を描くようになっていた。そうした流れの中、小田急百貨店では、『現代の幻想絵画展』［71年11月／朝日新聞社］が開催された（図3−1−3）。〝幻想〟を切り口に日本の画壇の現状を展望する展覧会で、〝不安と恐怖のイメージを探る〟をテーマとして、洋画、日本

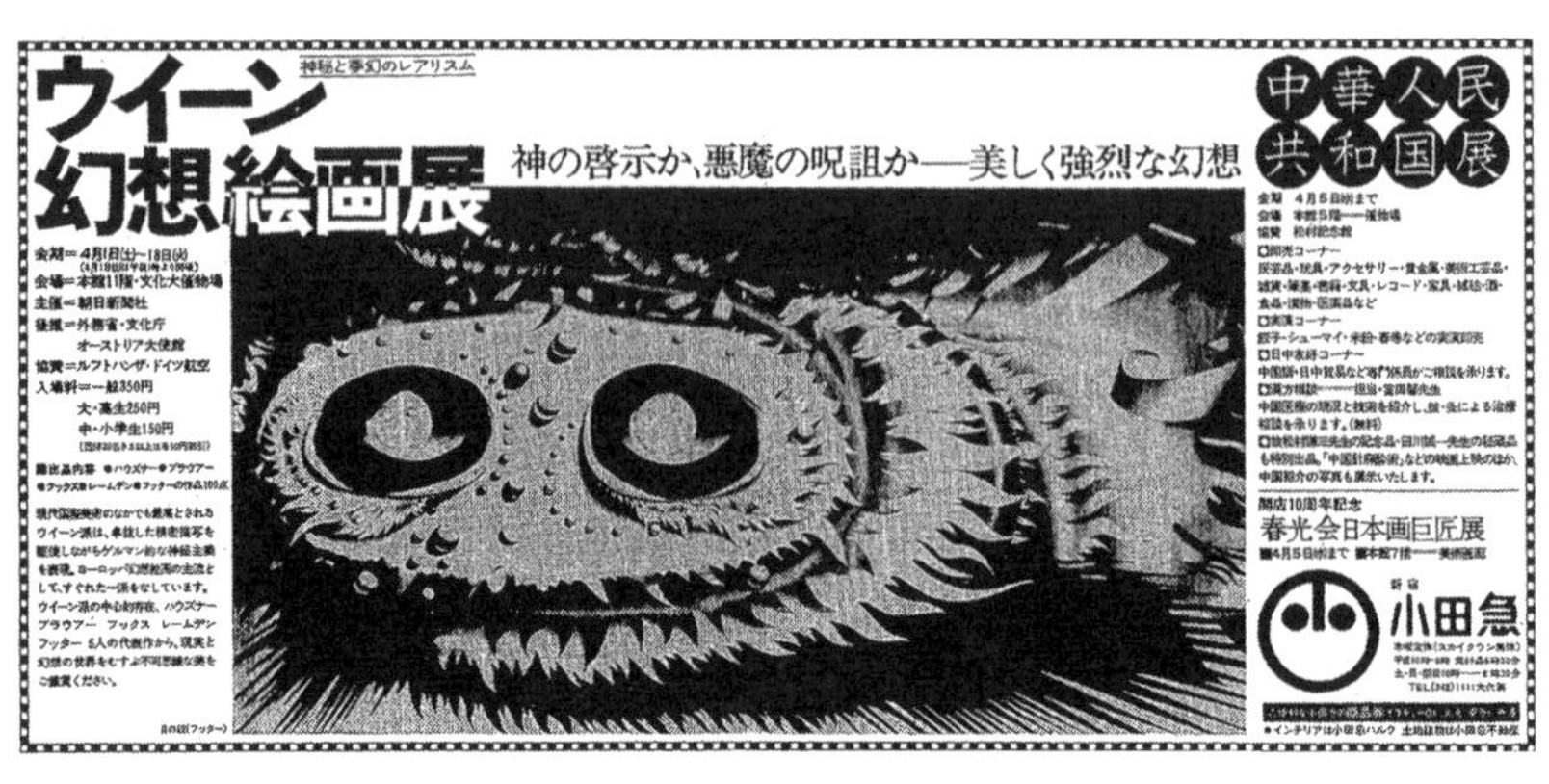

3-1-4 『ウイーン幻想絵画展』広告［朝日新聞1972年3月31日夕刊］

画、版画作家61人、加山又造、平山郁夫、福沢一郎、香月泰男などの人気著名作家から、佐々木豊、下田義寛など新進気鋭の作家までの5年以内に制作された作品110余点を展観した。

この時期、小田急百貨店で開催されたもう一つの〝幻想〟は、「神秘と夢幻のレアリスム」と題された『**ウイーン幻想絵画展**』［72年4月／朝日新聞社］である。（図3-1-4）

第二次大戦後、ウイーンを中心に活動を続け、その作品が「ウイーンの幻想レアリスム」と呼ばれたハウズナー、フックス、フッター、レームデン、ブラウアー5人の代表作各20点を展観した。彼らは、ウイーンの歴史的、文化的な伝統と大戦末期の苛烈な体験をバックボーンに、現実の不条理との対峙によって生じる幻想をレアリスム的な手法で表現し、ウイーン派とも呼ばれた。60年代前半から国際的に広く知られるようになり、日本にはじめて紹介されたのは65年頃であった。この展覧会は、日本の画家たちにも影響を与えたと言われていて、当時の数ある美術展の中でもユニークな試みであった。

私の高校の頃の愛読誌は、当時の青少年のご多分にもれず、『少年マガジン』であった。お目当ては、もちろん〈あしたのジョー〉、〈巨人の星〉、〈無用ノ介〉などであったが、もうひとつ、〝元祖オタク〟ともいわれる大伴昌司が企画構成をする〈巻頭グラビア図解シリーズ〉も楽しみであった。取り上げるテーマは、子ども、若者、大人は関係なし、発明、宇宙、ロボット、SFかと思えば、〈スター億万長者〉と題して〈レノン・ヨーコの甘い城〉、〈歌の広場〉で奥村チヨにじゅんとネネ、映画は黒澤明に〈007ゴールドフィンガー〉、突然硬派になって〈人間と戦争の記録　大空襲〉、〈学童疎開〉と、おそらく大伴の関心の赴くままなのだろうがほぼ脈絡なく、しかし高校生にとっては知らないことを知ったり、想像力を掻き立てられたり新鮮な刺激を受けるページであった。

69年の3月9日号の〈異次元の世界／ルネ＝マグリット　ふしぎ美術館〉を見て、世の中にこんなおかしな絵があるのかと驚いた。掲載された作品は、頂点に城のある岩が大海の上に浮かび、巨大な岩壁が翼を広げた鳥となり、乗馬の人物と木立とのありえない位置関係、皿に載った眼のあるハム、部屋いっぱいのリンゴなどカラー、モノクロあわせて30点ほど、決して上質な印刷ではなかったがインパクト十分であった。後にアンドレ・ブルトンのシュルレアリスム宣言に「不可思議は常に美しい」という一節があるのを知ったが、まさにその言葉通りであった。

〝幻想〟と〝シュルレアリスム〟は別の概念とのことだが、高校生がそんなことを知るわけもなく、そこにあった真鍋博の解説の「幻想画家マグリット」をそのまま受け取って、こういう絵を〝幻想絵画〟と言うのだと思っていた。

『ウイーン幻想絵画展』の開催を知った時、〝幻想〟に惹かれ、当時私は関西に住んでいたので、兵庫県立近代美術館まで見に行った。そこで手にとった図録で東京会場が小田急百貨店であることを知り、「百貨店でこんな展覧会をやるのだ」と強く印象を持った記憶がある。

それが理由で小田急百貨店に入社したわけではなく、また入社後、自分で望んで展覧会の部署に異動したわけでもなく、しかし、めぐりめぐってそこで**『ルドルフ・ハウズナー展』**［82年4月／東京新聞］を担当し、半世紀後

3-1-5 『生きてる浮世絵　刺青展』広告［東京新聞1973年6月1日夕刊］

にはこうして**『ウイーン幻想絵画展』**のことを書いているのも、不思議といえば不思議、長く生きれば世の中何がおこるかわからないものである。

蛇足ながら、エッシャーの絵も『少年マガジン』で初めて知り、これにもびっくりした。

今では百貨店はもとより公立の美術館でも、とてもできないであろうと思われる展覧会が、小田急百貨店で開催されていた。**『生きてる浮世絵　刺青展』**［73年6月／東京新聞］である。

劇作家・飯沢匡の監修のもと、江戸時代からの刺青の歴史、刺青を施すための道具、手順、刺青の図柄やテーマ、文学・美術と刺青、現代の刺青風俗など、刺青をあるがままの姿で多面的にとらえるとし、総身彫刺青の大カラーコルトン、刺青をした人体の標本（実物）なども展示した。新聞社告では「海外から〝肉体に描いた浮世絵〟として、その芸術性を高く評価されている」［東京新聞73年5月29日朝刊］、小田急の広告コピーでは「最近では刺青本来の美しさが見直され、ファッションにとり入れられるなど明るい風俗をつくっている」（図3-1-5）と、それぞれ開催の意義を記している。

当時は、銭湯で刺青を背負ったおじさん、おじいさんを見かけることもあったし、何よりも東映ヤクザ映画でおなじみではあった。ただ、江戸時代には町民の世界で全盛を誇り、江戸の華ともいわれた刺青は、明治政府による禁制が敗戦の時まで続いたことで、やはりアンダーグラウンドという捉え方であった。陰湿な日陰の花とか、嗜虐性や頽廃とか、そうしたイメージもついてまわり、それこそ堅気の人が手をだすことではなく、健全な市民生活の中では表だって語るには憚られる存在と言うのが一般的な認識であったと思われる。そうした存在にスポットをあて、刺青＝悪、不健康という視座からの転換を図って、そこに新たな価値を見出していこうという意図はやはりこの時代ならではの企画であろう。ただ、そこで〝海外からの評価〟を持ちだすのは、企画者の自信のなさが若干ほの見える。

東京新聞は、初日の入場者数は３０００人で「なかなかの人気」と伝えている［6月3日朝刊］が、小田急百貨店の記録では会期16日間で合計２万人弱、１日平均１２００余人とあり、この時代の展覧会の入場者実績としては決して多くはない。百貨店の健全な顧客を対象とするにはややハードルが高かったのかもしれない。

現在の視点から見ると、百貨店がよくこんなアウトサイダー的な展覧会を開催したと思うが、実際のところは、私が文化催事の担当者でいた頃に、「大変な決断により」という話を伝え聞くことはなかった。これまでにはない切り口のおもしろい展覧会ということでの実施であったようである。大カラーコルトン、実物の人体の標本の展示は大胆と思えるが、観覧者からの反応も、眉をひそめるとか、何でこんな公序良俗に反するものをとかのクレームは別になかったと聞いている。まだまだ世の中、表現には寛容であった。

73年9月の『**大名茶の湯展**』〔日本経済新聞社〕の時から、会場名を〝小田急グランドギャラリー〟と改称した。

2　文化大催物場から小田急グランドギャラリーへ

◉異色作家シリーズの挑戦

戦後日本の「美術の広範な社会化」現象は高度経済成長の中でますます広がりをみせ、また、第2章で述べた通り海外から作品を借用して展覧会を行うことのハードルも下がり、この頃から新聞社等が主催する国内外の美術展の開催本数は格段に増加した。そのような状況であったが、日本の公的な美術館の設置状況は誠に心もとないものであった。

表2は、1945年から2021年までの間の、都道府県・市区町村が設置した公立の美術館および文化会館（いくつかの自治体では複合文化施設として文化会館を設置し、そこを美術展示会場としても使っている）などの展示施設（本項では便宜的に一括して公立美術館と表記する）の開館数と累計館数を、5年単位でグラフにしたものである。折れ線が開館数、棒グラフが累計館数で、全国的には60年代後半頃から70年代に新規の開館が徐々に増え、80年以降にはそれが加速して累計館数も急激に増加したことがわかる。全国の公立美術館数は79年末で89館、一都道府県あたりにすると2館弱だった。東京都内では、79年の板橋区立美術館開館までは東京都美術館の1館のみであった。

表2　公立美術館数　年次推移

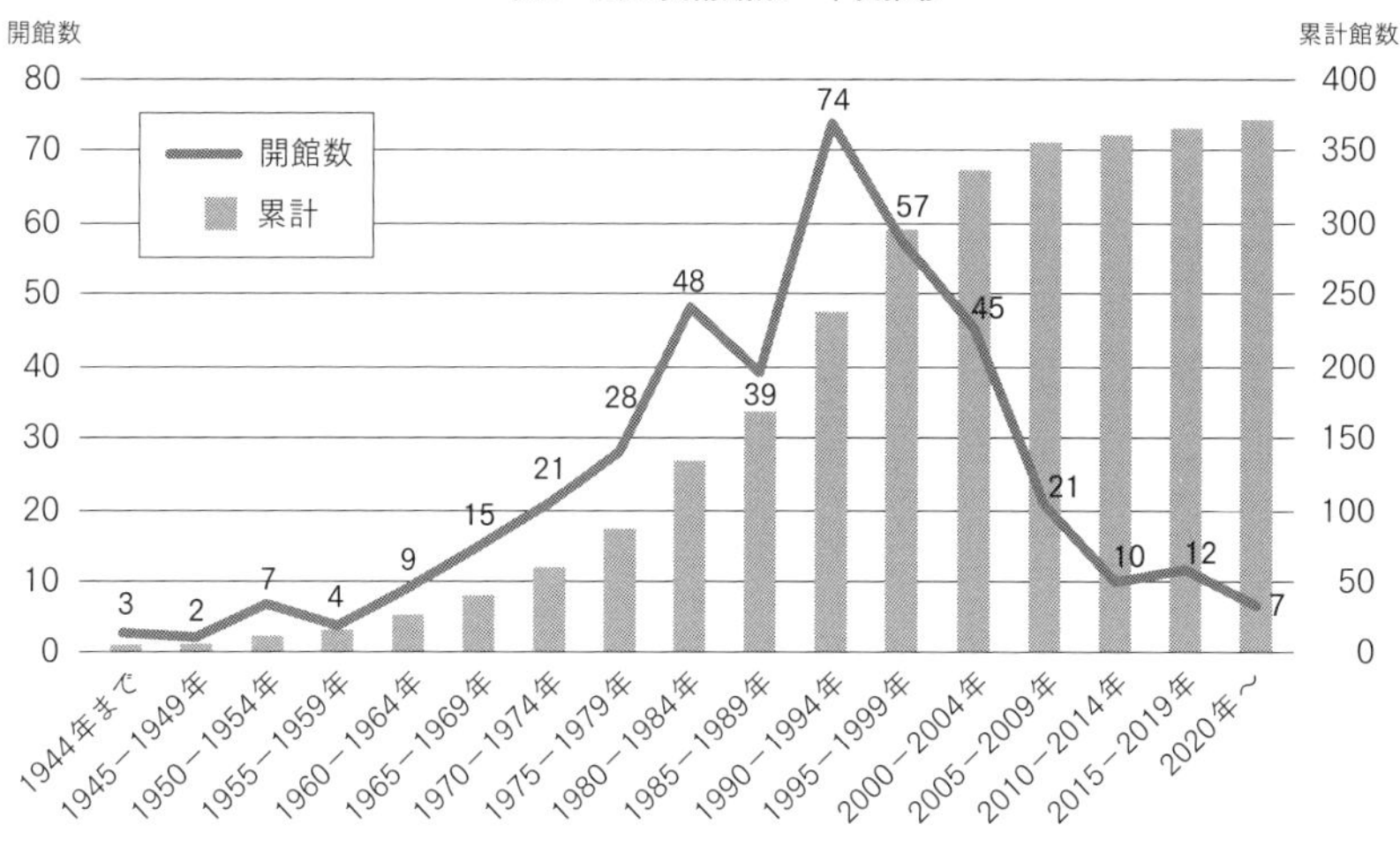

45年以降、70年代末までの間、東京都心である程度の規模の美術展を開催できた美術館（博物館）は以下の通りである。

国立は、東京国立博物館（本館と表慶館、東洋館は68年開館）、東京国立近代美術館（52年に既存の建物を使って開館、美術館として使い勝手のいい構造ではなく、69年に現在地に新築移転）、国立西洋美術館（59年開館）の3館で、公立の東京都美術館は、年間のほとんどが多数存在する美術団体の公募展で使用される状態にあり、75年に新館が完成してようやく大規模な企画展も行えるようになった。

私立の主な美術館は、41年開館の根津美術館、52年のブリヂストン美術館、60年代になると、五島美術館、サントリー美術館、山種美術館、出光美術館が開館するが、これらの美術館は扱うジャンルが限定され、また展示面積などの関係もあり、規模の大きな美術展をフレキシブルに展開することは難しかった。70年代になって東京セントラル美術館、上野の森美術館、東郷青児美術館、そして西武美術館が開館した。

つまり、戦後の美術の大衆化によってもたらされた旺盛な美術展へのニーズに対し、東京都心では、ある程度の規模の美術展を開催できる公的な美術館は極めて少なく、それだけではとてもまかないきれない状態であった。この状況は、東京だけでなく他の大都市でも同様であったが、そこで美術展の会場となっていたのが百貨店であった。

第1章で述べた通り、百貨店に展覧会が集中していくのはこの時代自然の流れで、美術展についても、百貨店は美術館の役割の一つである〝展示普及〟活動を十分に担っていた。百貨店がもつ〝展示普及〟の会場機能が美術館と同等と考えられていたことは、巡回展のありようにも見て取れる。一例をあげると、先に紹介した『ウイーン幻想絵画展』は、東京会場が小田急百貨店、その後、兵庫県立近代美術館、愛知県美術館と巡回している。このように展覧会が百貨店と公的な美術館の間で巡回するのは普通のことで、展覧会の会場として百貨店と公的な美術館が区別されることは全くなかった。

百貨店が行う〝販売を目的としない催し物〟の範囲は幅広く、美術ばかりでなく歴史、文学、芸能、科学ほか様々な文化・芸術の分野が取り上げられ、さらに時事的な話題や社会的な問題をテーマにしたもの、子どもたちを対象とした教育や娯楽的なもの、人々が趣味や教養として研鑽を積んだ成果の発表などが展覧会として行われていた。こうした多種多様な展覧会を開催することで、百貨店は都市の文化的なインフラとしての役割も担ってきたわけだが、その中で開催本数が多いのはやはり美術系の展覧会であった。

一言で〝美術〟と言っても、作家個人、時代、地域、ジャンルほかテーマ、切り口は多種多様であるが、開催頻度が高いのは国内、海外とも近現代の絵画で、特に集客への期待もあって、国内展では画壇の大家や人気画家、海外展では印象派やエコール・ド・パリを始めとする欧米の美術家の展覧会が多かった。

小田急百貨店の文化大催物場で開催された近現代美術の本格的な展覧会は、国内展が『**岸田劉生展**』［70年11月／東京新聞］、海外展が72年の『ウイーン幻想絵画展』であった。いずれも文化大催物場が開設されてから、かなりたってからの開催となる。小田急百貨店本館と同じ頃に開店した渋谷東急本店が、開店直後に『岡鹿之助展』、『フランス近代絵画展』、翌年の渋谷西武が『モジリアニ名作展』と、開店早々に人気のフランス絵画や日本人画家の美術展を行っているのとは対照的である。

70年から始まった文化大催物場の近現代の美術展は、その後のほぼ10年の間、他店と比較して、国内、海外のいずれもかなりユニークな展開で推移した。

国内展では、『岸田劉生展』のほぼ1年後、**『萬鐵五郎展』**〔72年1月／日本美術館企画協議会、読売新聞社〕、その4ヶ月後、**『昭和期の青春の詩篇　三岸好太郎展』**〔72年5月／神奈川県立近代美術館、北海道立美術館、日本美術館企画協議会、東京新聞〕が開催された。海外展では、『ウイーン幻想絵画展』の後、しばらくの間をおいて**『世界巨匠版画展　ドラクロアからパウル・クレーまで』**〔76年1月／日本美術館企画協議会〕、**『パウル・クレーとその友だち展』**〔76年5月／日本美術館企画協議会、日本経済新聞社〕が開催された。

岸田劉生、萬鐵五郎、三岸好太郎は、大正・昭和の戦前期の洋画壇において、新たな表現を求めて創作に心血を注いだ画家たちで、また、30代で早逝してしまったことでも共通している。いずれも日本の近代洋画史を語る上では欠かすことができない重要な画家たちで、日本の近代洋画の展開をたどるという意味でも十分に意義のある展覧会であった。

『世界巨匠版画展』は19世紀以降のヨーロッパの絵画、彫刻の巨匠たち50人の版画を展示するもので、マチスやピカソなど人気の高い作家たちの名もあるが、版画作品によって近代美術の系譜を展望しようという、研究的な色合いも濃い展覧会であった。パウル・クレーは既に69年に神奈川県立近代美術館で同館の最初の大型海外展として本格的に紹介されていたが、この『パウル・クレーとその友だち展』はクレーの遺族の愛蔵品によるもので、すべて初公開のクレーの作品を中心に、友人のカンディンスキーなど現代美術に大きな影響を与えた23人の画家たちの作品を展観した。クレーが同時代の作家たちと相互にどのように影響しあっていたかを示す機会ともなった。

『萬展』、『三岸展』、『世界版画展』、『クレーと友だち展』それぞれの主催となっている日本美術館企画協議会（以下〝協議会〟と表記）とは、全国の美術館が企画を共同で負担し、巡回展を行っていくことを目的に、神奈川県立近代美術館（〝鎌倉にある近代美術館〟で愛称〝鎌近〟、以下それに従って表記）の館長土方定一が設立し、自らが会長を務めた組織である。

鎌近は、日本で最初の公立の近代美術館として51年に開館し、内外の近現代美術の研究と、それらの展覧会の実績を積み重ね、同時に全国の公立美術館の中心的な存在でもあった。そのような立場から、鎌近は協議会を通して他館の展覧会企画の支援も行っていた。60年代末からの公立美術館の増加に伴い、協議会の活動はさらに活発になり、新聞社も巻き込みながら国内外美術の展覧会企画とその巡回を主導することも多くなってきたが、協議会企画の多くは鎌近によるもので、土方の考えも色濃く反映されていた。

文化大催物場で開催されたこの4本の展覧会も、実際は鎌近の企画によるものである。いずれも一般的な人気で集客をねらうというよりも、どちらかと言えば美術の研究者やコアな愛好家に寄った展覧会であった。美術館が企画しているのだからその展覧会が美術館的な専門性を見せるのも当然とも言えるが、それまで協議会が企画した展覧会は、基本的には巡回も含めて国公私立の美術館で開催されていた。それが『萬展』で初めて百貨店を会場とし、しかも協議会の企画で百貨店が会場となったのは、都内ではこの小田急で開催された4本と、池袋西武が美術館を開設した後の77年に西武美術館で開催された『ムンク版画展』だけであった。

協議会企画の展覧会の会場が小田急百貨店の文化大催物場となったきっかけには、『岸田劉生展』があった。

近代日本洋画の展開は、鎌近の主要な研究テーマのひとつであり、その中で重要なポジションを占める岸田劉生は、土方の戦前からの研究対象でもあった。その劉生の展覧会の発案が主催の東京新聞であったか鎌近であったかは不明だが、内容構成は鎌近が行っていたのはその図録で明らかである。鎌近はこれまで自館企画の展覧会は自館で行っていた。それを別の会場だけで開催するのは異例で、何らかの理由で『劉生展』は東京都心で行うことにしたようで、これが初めてであった。会場は東京新聞が、68年の『中尊寺展』以来、年に1〜2本は文化大催物場で主催の展覧会を行っていたことから選択したと思われる。

『劉生展』のときに鎌近は初めて展覧会場として文化大催物場に接したわけだが、そこでこの会場の〝展示機能〟を認めたと考えられる。具体的にどういったところを認めたのか、文化的な催し物の専用会場で売場などから独立し、万が一の時も防火壁等で区画されたスペースとなる会場仕様を貴重な作品の展示にふさわしいと認めたのか、あるいは〝麗子像〟シリーズ20余点を一つの壁面に展示してその変遷を一望できるようにした展示テクニックを評価したのか、小田急側の担当者への信頼か、企画費用の負担か、いくつかの理由は推定されるが、決め手が何であったのかはわからない。だがいずれにしても、鎌近は文化大催物場を美術展の会場としてふさわしいと認め、以降の協議会主催の展覧会がここで開催されることになり、これが小田急百貨店の美術展の展開に影響を与えたと考えられる。ただ影響といっても、鎌近の指導のもとで美術展を行うといったような直接的な影響ではない。前衛画家・難波田龍起の早逝した次男が遺した特異な作品を展観する『ある青春の挫折の歌　難波田史男遺作展』［76年2月／難波田史男遺作展委員会／後援：神奈川県立近代美術館］のように、鎌近の主導で小田急グランドギャラリーが会場となることもあったが、これは例外で、国内、国外とも本格的な近現代美術の展覧会をやり始めた小田急百貨店が鎌近と接点を持ったことにより、小田急百貨店なりの美術展のカラーが形作られていったという意味での間接的な影響である。

70年代に小田急百貨店で開催された美術展を見ると、国内展、海外展とも、広くは知られてはいないが、美術の世界では注目すべきという作家の展覧会が非常に多い。特に国内展では、優れた作品を創作しながらも埋もれている作家、実績はあるが忘れられてしまった作家の掘り起しや再評価など、公的な美術館が企画するような美術展をたびたび開催している。

これもまた〝類は友を呼ぶ〟で、劉生、萬、三岸と、優れた作品を遺しながらも70年代初めころにはまだ一般にはなじみがなく、人気作家や印象派のように百貨店で取り上げられやすいとは言い難い作家の展覧会が、ひとつの流れをもって開催されていたことで、似たような企画が小田急に提案されるようになった。

鎌近で開館15周年記念として開催された**『近代日本洋画の１５０年展』**〔66年6月〕、同じく25周年記念の**『日本洋画を築いた巨匠展』**〔77年10月〕、30周年記念の**『日本近代洋画の展開』**〔81年5月〕は、いずれも鎌近が取組む日本の近代洋画研究の成果を示す展覧会であるが、『１５０年展』では司馬江漢から現代画家まで、『巨匠展』は42名、『洋画の展開』は36名の洋画家が挙げられている。いずれも鎌近が認める、近代日本洋画の歴史を築き上げた画家たちと考えてよかろう。劉生、萬、三岸はこれらの展覧会で共通して取り上げられているが、この後小田急グランドギャラリーで回顧展が開催された、松本竣介〔77年11月／日本経済新聞社〕、須田国太郎〔78年1月／東京新聞〕、靉光〔79年9月／東京新聞〕、前田寛治〔79年11月／日本経済新聞社〕も、やはりそこに名を連ねている。

日本の近代洋画史の中で、やや難しいが鎌近のお墨つきのある画家の回顧展であれば、主催者としてはまず小田急百貨店に提案と考えても不思議はない。こうした流れで文化大催物場が会場として選ばれていくことも鎌近の影響のひとつであるが、もうひとつは、小田急の担当者の美術展に対する考え方への影響である。

前章で紹介した『宣伝会議』の〈企業イメージ形成に寄与した文化催事〉で、小林は小田急の文化催事の中心路線を二つあげている。ひとつが『縄文人展』などの「歴史・考古シリーズ」で、もうひとつがすぐれた才能を秘めながら、時流からはみだしたり、地方に埋もれて世に出る機会にめぐまれなかった作家たちを取り上げる「異色作家シリーズ」で、『萬鐵五郎展』、『三岸好太郎展』、『松本竣介展』などを例としている。

鎌近が研究してきた日本の近代美術史を代表する作家たちと、小林が言う「異色作家」とは必ずしもイコールではないが、一般にはなじみがない作家を掘り起こし、忘れられた作家を再評価する展覧会の面白さや、そうした作家の個性あふれる優れた作品を紹介し広く普及させていくことの意義、それに加えて〝夭逝の作家〟という物語性を、美術展の醍醐味として見いだしたのは、やはり劉生、萬、三岸を始めとする鎌近の仕事に触発されてのことであった。

では、小林がこの文章を発表した78年前後、小田急の文化催事の中心路線である〝異色作家シリーズ〟では、松本竣介などのほか、どのような画家たちが取り上げられていたのだろうか。

- 二科展で将来を嘱望されながらも既成の審査体制を批判して日本初のアンデパンダン展を組織し、戦時中は美術報国会加入を拒否したため創作が途絶、戦後は長野市で活動を続けたがローカルな存在に留まり、65年に76歳で亡くなった**横井弘三**［77年9月／横井弘三顕彰会］、長野県信濃美術館で1月に開催された遺作展が巡回。
- 北海道立近代美術館からの巡回展で、独学で絵を学びながら北海道で発表を続け、独自の技法による表現で評価が高まり始めたところで惜しくも早逝した**神田日勝**［78年3月］。
- 戦前は官展を中心に旺盛に創作活動を続け、戦時中は戦争記録画でも知られ、戦後は国立公園のシリーズを描くなどしていたがほぼ忘れられた存在であった**鶴田吾郎**［79年1月／実行委員会］。
- 東京美術学校西洋画科に学び、水彩によって油彩に劣らない近代的表現を目指して水彩画の新生面を拓き高い評価を得ていたが、48年に48歳で亡くなった**中西利雄**［79年3月／東京新聞］、前年、広島県立美術館等で回顧展。

●東京美術学校で彫刻を学んだ後、パラオなど南洋諸島に渡って現地の彫刻に影響を受けた作品の制作を続け、戦後は世田谷に居を構えて彫刻の制作とともに詩集、絵本なども手がけた**土方久功**［79年4月］。

●前衛美術の先駆者と言われ、フォト・デッサンという独自の技法をはじめ多様な表現と技法を追求し、60年に48歳で亡くなった**瑛九**［79年6月］。

●中央の画壇に関わること少なく、長年にわたり自由な創作活動で発表を続けて孤高の画家とも言われる**池田淑人**［79年8月／東京新聞］。

●独学で絵画修業に専心し、生まれ育った北海道岩内を拠点に北海道の風物を描き続けた**木田金次郎**［79年9月／朝日新聞社］。

●京都で日本画を学び帝展に入選したが画壇のあり方に疑問を抱き、その後は公に作品発表をせずに宗教画一筋に創作活動を続け、世界十大宗教の壁画を完成させた**杉本哲郎**［80年6月／朝日新聞社］。

●東京美術学校彫刻科に学んだ後、絵画、彫刻といった既存のジャンルを超えた独自の表現に向かい、戦後はジャンクアートとも呼ばれる廃品を素材とした造形で国際的にも高い評価を得た**小野忠弘**［80年11月／社団法人日本会］。

ある意味くせのある作家の展覧会を多く開催し、特に79年には、『鍍光展』、『前田寛治展』も加えてこうした画家を8人も取り上げ、公立の美術館でも短期間でこんなには開催しないだろうという多さであった。このほか、**金山平三**［71年3月／朝日新聞社］、**永瀬義郎**［75年6月／企画委員会］、**高島北海**［76年1月／日本経済新聞社］など、画壇では一定の評価を得ている画家ではあるが、その実績の中であまりスポットが当てられることのなかった彼らの個性的な仕事や、ほぼ独学ながら単身パリにわたって創作活動を続け、独特な作風で高い評価を得ていた**増田誠**

［76年11月］を紹介する展覧会も開催していた。

一方で、全く無名の人物も取り上げていた。自身の青春をかけて、23歳のときから〝北帰行〟と名付けた耕運機で3年余りをかけて日本を一周しながら各地の風景を描いた**松山清一**であるが、いかにも当時の新宿らしい展覧会［74年12月］であった。

その後、萬鐵五郎、神田日勝、木田金次郎のように公立の個人美術館が設立されたり、土方久功［世田谷美術館／91年］、瑛九［宮崎県立美術館／96年］、増田誠［山梨県立美術館／2012年］、難波田史男［世田谷美術館／2014年］、横井弘三［練馬区立美術館／2016年］などのように公立美術館で回顧展が開催されたりと、改めてクローズアップ、評価されることも多く、小田急百貨店での展覧会開催の意義は十分にあったと思われる。

海外展では前出の『ウイーン幻想絵画展』、『パウル・クレーとその友だち展』のほか、セガンチーニやホドラーなど49作家の過去3世紀にわたるアルプスの絵画を日本ではじめて紹介する**『セガンチーニ、ホドラーらによる　スイス・アルプス名画展』**［77年3月／スイス・プロヘルペチア文化財団、朝日新聞社］、セガンチーニの日本ではじめての大規模な回顧展となる**『セガンチーニ展　アルプスの牧歌と幻想』**［78年6月／日本経済新聞社］なども、まだ日本では広く知られていないが海外では高く評価されている画家たちを紹介するという点で、やはり同じ流れの展覧会であった。

80年代になると、「異色作家シリーズ」の継続もむずかしくなってきたが、**『夭折の天才画家　関根正二と村山槐多』**［81年10月／朝日新聞社］は、小田急側の〝夭折の画家〟への思い入れから実現した展覧会であり、将来を嘱望されながらも38歳で早逝してしまった有元利夫の初めての大規模な回顧展となった**『キャンバスに描かれた室内楽　有元利夫展』**［86年5月／毎日新聞社］も小田急側からの提案で実現した展覧会であった。

まだ一般には知られていないが、評論家や研究者、熱心な美術愛好者から支持されるような美術展は他店においても特に珍しいわけではないが、そうした作品の価値と魅力を、展覧会によって広く知らしめていこうという試みをこれだけ多く行っていることは、やはり驚きである。70年代の小田急では、この種の美術展が他店に比べると格段に多く、小田急グランドギャラリーの特色にもなっていた。

このように美術館が行うような美術展を数多く行ってはいたが、小田急百貨店が美術のマニアだけを対象に美術展を行っていたわけではなかった。実際に、この期間、『藤田嗣治展』〔77年1月／読売新聞社〕や、ゴッホの作品も出品された『19世紀オランダ絵画展』〔79年4月／東京新聞〕など、知名度も高く一般にも人気の高い海外展も開催し、80年代になると、『伊東深水回顧展』〔81年2月／朝日新聞社〕、『鏑木清方展』〔82年1月／朝日新聞社〕といった画壇の大家の展覧会も開催するようになっていった。

百貨店は戦後の美術の大衆化による美術展ニーズの高まりを受けてそれを頻繁に開催し、百貨店が美術展を数多く開催することで人々はより美術に対する関心をさらに高めるという好循環の中で、百貨店は集客ばかりでない、啓蒙的・教育的な美術展も数多く開催してきた。日本の多くの美術専門家が渇望していた同時代のフランス美術界の動向を伝えた50年代の各百貨店の美術展、60年をはさんでの数年間、銀座松屋の『スケッチ展』、日本橋白木屋の『やきもの教室』などに見られるように、比較的ニッチなテーマをシリーズ化して継続的に展観したいくつかの百貨店の取組み[7]など、70年代の小田急百貨店の美術展も同様であるが、百貨店が公的な美術館が行うような美術展を行ってきた例はいくつも指摘できる。とは言え、いずれの百貨店も意識的に自らが美術館であろうとしたわけではなく、日本の貧困な美術館環境を補おうとか、美術文化を振興していこうとか、企業としての使命、理念から文化活動を行っていたわけではなく、営業的メリットを追求するためにとった手段が、結果的に美術館的な活動になっていたということである。美術展も含めて百貨店が展覧会を行うのは、基本は集客と店のファンづくりという営業活動の一環としてであった。

筑摩書房 新刊案内

● 2022. 9

●ご注文・お問合せ
筑摩書房営業部
東京都台東区蔵前 2-5-3
☎03(5687)2680 〒111-8755

この広告の定価は 10%税込です。
※発売日・書名・価格など変更になる場合がございます。

https://www.chikumashobo.co.jp/

レベッカ・ウラグ・サイクス
野中香方子 訳

ネアンデルタール

人間を考えるための必読書。

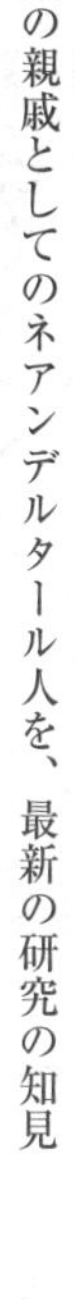

人類の親戚としてのネアンデルタール人を、最新の研究の知見をもとに親愛をこめて描く。ユヴァル・ノア・ハラリ推薦。

86094-1 四六判 (10月上旬発売予定) 予価3960円

原著『KINDRED』より

6桁の数字はISBNコードです。頭に978-4-480をつけてご利用下さい。

志賀健二郎

小田急百貨店の展覧会

——新宿西口の戦後50年

今秋解体され、再生される小田急百貨店ビルは、長く新宿西口の顔として文化を牽引し、移ろう世相を映してきた。小田急百貨店の催事を通して読む戦後の歩み。

81862-1　Ａ５判（９月28日発売予定）２４２０円

三菱一号館美術館

ヴァロットン

——黒と白

19世紀末パリで活躍した画家ヴァロットン。その独特の視点と多様な表現、卓越したデザインセンス溢れる黒一色の革新的な木版画180点を中心に紹介する作品集。

87411-5　Ａ４変型判（９月28日発売予定）２４２０円

フェリックス・ヴァロットン
《嘘（アンティミテ）Ｉ》
1897年 木版、紙17.9×22.5cm
三菱一号館美術館

6桁の数字はISBNコードです。頭に978-4-480をつけてご利用下さい。

ちくまQブックス

飯田隆
不思議なテレポート・マシーンの話
——なぜ「ぼく」が存在の謎を考えることになったか？

不思議なテレポート・マシーンとの出会いをきっかけに、哲学の基本的な問題をめぐって丁寧に議論を繰り広げる。論理的思考の展開方法も学べるやさしい哲学対話。

25137-4　四六変型判（9月28日発売予定）１２１０円

イラスト：米村知倫

津村記久子
苦手から始める作文教室
——文章が書けたらいいことはある？

「webちくま」人気連載書籍化

作文のテーマの立てかたや書くための準備、書き出しや見直す方法などを紹介。その実践が自分と向き合う経験を作る。芥川賞作家が若い人に説く、心に効く作文教室。

25138-1　四六変型判（9月28日発売予定）１２１０円

イラスト：鈴木千佳子

中村桂子
科学はこのままでいいのかな

—— 進歩？　いえ進化でしょ

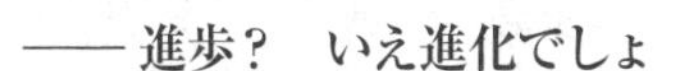

イラスト：鈴木千佳子

生活は便利になったけれど、効率やスピードばかり求める社会はどこかおかしい。私たちは生きものなのだから。進化を軸に、新しい未来のかたちを考えよう。

25140-4　四六変型判（9月28日発売予定）1210円

6桁の数字はISBNコードです。頭に978-4-480をつけてご利用下さい。

9月の新刊 ●12日発売 ちくま文庫

オンガクハ、セイジデアル

ブレイディみかこ

●MUSIC IS POLITICS

イギリスの出来事が、今の壊れた日本を予見する

ヘイトスピーチ、拡大するアンダークラス。『アナキズム・イン・ザ・UK』の一部に大幅増補。ロックと英国社会を斬るエッセイ。（平井玄）

43810-2 858円

傷を愛せるか 増補新版

宮地尚子

ケアとは何か？ エンパワメントとは何か？

たとえ過去の傷から逃れられないとしても、内なる弱さをみつめてみよう――。トラウマ研究の第一人者による深く沁みとおるエッセイ。（天童荒太）

43816-4 792円

わたしの金子みすゞ

ちばてつや

カラーイラストと文章でマンガ界の巨匠が伝える、金子みすゞの世界。自然や子供たちの姿が、自身の体験を織り交ぜながら描かれる。（里中満智子）

43839-3 968円

無限の玄／風下の朱

古谷田奈月

死んでは蘇る父に戸惑う男たち、魂の健康を賭けて野球する女たち――赤と黒がツイストする三島賞受賞作かつ芥川賞候補作が遂に文庫化！（仲俣暁生）

43844-7 748円

名前も呼べない

伊藤朱里

第31回太宰治賞を受賞し、その果敢な内容と巧みな描写で話題を集めた著者のデビュー作がより一層の彫琢を経て待望の文庫化！（児玉雨子）

43841-6 836円

6桁の数字はISBNコードです。頭に978-4-480をつけてご利用下さい。
内容紹介の末尾のカッコ内は解説者です。

好評の既刊

＊印は8月の新刊

イリノイ遠景近景
藤本和子

イリノイのドーナツ屋で盗み聞き、ベルリンでゴミ捨て中のヴァルガス・リョサと遭遇……話を聞き、考える。名翻訳者の傑作エッセイ。（岸本佐知子）

43842-3 990円

ぼくたちは習慣で、できている。 増補版
佐々木典士 三日坊主は、あなたのせいじゃない
43782-2 858円

私の脳で起こったこと ●「レビー小体型認知症」の記録
樋口直美 福岡伸一大推薦!!
43789-1 880円

線の冒険 ●デザインの事件簿
松田行正 「線」っておもしろいな!
43800-3 1650円

日本語で読むということ
水村美苗 小説には収まりきらない世界がここにある!
43801-0 880円

日本語で書くということ
水村美苗 〈書く〉ことは〈読む〉ことからしか生まれない
43802-7 880円

ベルリンは晴れているか
深緑野分 第二次大戦直後のドイツを舞台にした歴史ミステリの傑作が文庫化!
43798-3 990円

すべての季節のシェイクスピア
松岡和子 シェイクスピア劇を10倍深く楽しむために
43807-2 924円

プロ野球新世紀末ブルース ●平成プロ野球死亡遊戯
中溝康隆 平成プロ野球を総括する最強コラム集
43806-5 924円

圏外編集者
都築響一 編集という仕事の面白さと本質
43819-5 924円

お江戸暮らし ●杉浦日向子エッセンス
杉浦日向子 江戸にすんなり遊べるしあわせ
43815-7 924円

ジンセイハ、オンガクデアル ●LIFE IS MUSIC
ブレイディみかこ 『アナキズム・イン・ザ・UK』から文庫化
43808-9 858円

ポラリスが降り注ぐ夜
李琴峰 台湾人初の芥川賞作家の代表作、待望の文庫化!!
43824-9 858円

ドライブイン探訪
橋本倫史 日本の戦後史も見えてくる渾身のルポ
43817-1 990円

増補 本屋になりたい ●この島の本を売る
宇田智子 高野文子 絵 ここで働く理由がある
43829-4 836円

＊見えない音、聴こえない絵
大竹伸朗 世界は絵画だと思った
43813-3 990円

＊貸本屋とマンガの棚
高野慎三 「俗悪文化」の全貌に迫る!
43838-6 990円

6桁の数字はISBNコードです。頭に978-4-480をつけてご利用下さい。

9月の新刊　●12日発売　**ちくま学芸文庫**

決断の法則
■人はどのようにして意思決定するのか？

ゲーリー・クライン　佐藤佑一 監訳

時間的制約があり変化する現場で、人はいかに意思決定を行うか。消防隊員、チェスチャンピオンらの調査から、人の隠れた能力を照射する。（本田秀仁）

51137-9
1870円

江戸 食の歳時記

松下幸子

季節感のなくなった日本の食卓。今こそ江戸に学んで四季折々の食を楽しみませんか？　江戸料理研究の第一人者による人気連載を初書籍化。（飯野亮一）

51139-3
1430円

東方キリスト教の世界

森安達也

ロシア正教ほか東欧を中心に広がる東方キリスト教。複雑な歴史と多岐にわたる言語に支えられて発展した、教養と文化を解く貴重な書。（浜田華練）

51140-9
1430円

プルースト 読書の喜び
■私の好きな名場面

保苅瑞穂

『失われた時を求めて』がかくも人を魅了するのはなぜなのか。この作品が与えてくれる愉悦を著者鍾愛の場面を通して伝える珠玉のエセー。（野崎歓）

51141-6
1430円

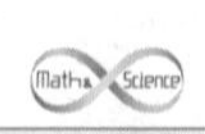

遊歴算家・山口和「奥の細道」をゆく

鳴海風　高山ケンタ【画】

全国を旅し数学を教えた山口和。彼の道中日記をもとに数々のエピソードや数学愛好者の思いを描いた和算時代小説。文庫オリジナル。（上野健爾）

51146-1
1430円

6桁の数字はISBNコードです。頭に978-4-480をつけてご利用下さい。
内容紹介の末尾のカッコ内は解説者です。

ちくまプリマー新書

9月の新刊
●8日発売

410
歴史学のトリセツ
▼歴史の見方が変わるとき
東北大学教授 **小田中直樹**
歴史って面白い？　つまらないならその理由を探るべく、歴史学の流れを振り返ろう。事実、記憶、視野の大小など、その変化を知れば、歴史の考え方が変わるはず。
68436-3 858円

411
大都市はどうやってできるのか
大阪大学教授 **山本和博**
東京は「人が多すぎる」とは言えない!?　世界の都市化が急速に進むいま、人々がひとつの地域に集まる原理から現代の課題まで、都市経済学から考える。
68435-6 946円

好評の既刊
＊印は8月の新刊

富士山はいつ噴火するのか？——火山のしくみとその不思議
萬年一剛　富士山が噴火したら首都圏はどうなるか？
68432-5 924円

哲学するってどんなこと？
金杉武司　自分で考える力を育てる論理的思考の教科書
68426-4 968円

＊**難しい本を読むためには**
山口尚　実直な正攻法があなたの読書を変える
68433-2 1012円

＊**ウンコの教室**——環境と社会の未来を考える
湯澤規子　文理、歴史の壁を越えたウンコ探究の旅へ！
68434-9 924円

筑摩選書

9月の新刊
●16日発売

0235
すべては量子でできている
▼宇宙を動かす10の根本原理
マサチューセッツ工科大学物理学教授 **フランク・ウィルチェック**　**吉田三知世** 訳
宇宙はいかにして誕生し、世界はなぜこのように存在するのか？　現代物理学を牽引し続けるノーベル賞物理学者が、10の根本原理を武器にこの永遠の謎に迫る。
01754-3 2090円

0236
弱いニーチェ
▼ニヒリズムからアニマシーへ
京都大学教授 **小倉紀蔵**
ニーチェの言う「超人」は、弱い人間だった。世界哲学の視点からニーチェを読み直して見えてくる生命力あふれる人間像に、混迷の時代を生き抜く新しい力を見出す。
01756-7 1870円

6桁の数字はISBNコードです。頭に978-4-480をつけてご利用下さい。

9月の新刊 ●8日発売

1680
日朝交渉30年史
和田春樹（東京大学名誉教授）

歴代の首相や外交官が試みた日朝国交樹立はなぜ頓挫したのか。両国が再び歩み寄る手がかりはあるのか。膨大な資料と当事者たちの証言から失敗の背景を徹底検証。

07507-9
968円

1681
超訳 芭蕉百句
嵐山光三郎（作家）

百の代表句を選りすぐり、著者一流の独特な視点と軽妙な文体による「超訳」で芭蕉の知られざる実像に迫る。虚実が分かちがたく絡み合う芭蕉の俳句の魅力を探る。

07481-2
1034円

1682
図書館の日本文化史
高山正也（慶應義塾大学名誉教授）

古来わが国では様々に書籍が蓄積され、書籍の公共圏を形成し、その知の蓄積が日本文化をつくりだしてきた。古代から現在までを俯瞰する、はじめての図書館全史。

07508-6
1012円

1683
嘉吉の乱 ▼室町幕府を変えた将軍暗殺
渡邊大門（歴史学者）

足利義教の恐怖政治や理不尽な人事などから、自業自得、前代未聞の犬死といわれた室町将軍暗殺の全貌。のちの下克上の時代にもつながる幕府と守護の関係変化。

07504-8
990円

1684
アスリート盗撮
共同通信運動部 編

「スポーツ界が、声を上げた」長年問題視されながら、有効な対策の打てなかったアスリートの盗撮。社会を動かした調査報道「性的画像問題」が、この一冊に。

07503-1
1078円

1685
絶望に寄りそう聖書の言葉
小友聡（東京神学大学教授）

働く空しさを嘆くコヘレト、災難に遭うヨブ、夢を叶えられないモーセ……、人生の絶望と苦闘する数々のエピソードから、現代社会を生き抜くヒントを読み解く。

07505-5
924円

6桁の数字はISBNコードです。頭に978-4-480をつけてご利用下さい。

◉報道から芸術へ

今は世界中の誰もがスマホで撮影、みんなで共有だが、日本人の海外旅行が一般化した70年代には、首からカメラをぶら下げているのはまず日本人、日本人は景観を楽しみに来たのか写真を撮りにきたのかわからないと言われていた。日本人のカメラ好き、写真好きは昔から定評のあるところで、戦後早々、グラフ誌が復刊、創刊されてプロカメラマンの活動が活発化するのに並行して、写真専門誌の月例コンテスト、新聞社や写真団体、美術団体の公募、大学の部活動としての写真部、日本光学などメーカーによるコンテストなど、アマチュアカメラマンの発表の場も一気に広がり、50年頃から空前の写真ブームが興った。

写真の大衆化といってもよい現象の下で、人々の関心は撮ることだけではなく鑑賞することにも向けられていった。百貨店の写真の展覧会では、公募、コンテストやアマチュア団体の発表も行われていたが、それよりずっと多かったのはプロカメラマンのもので、国外・国内、集団・個人、ドキュメンタリー・アートを問わず、被写体も政治、事件、社会、生活、戦争、人物、動植物、風景、文化財など多種多様なテーマで開催され、百貨店では美術展に次ぐ本数が開催されていた。

小田急百貨店でも、文化大催物場の開設以降、ほとんどの年で年間に数本以上、様々なテーマの写真展が行われていた。これは他店に比べても高い開催頻度で、写真展の多さは小田急の文化催事の特徴と指摘できる。その特徴のひとつとしてあったのが、毎年定例で開催されていた2種の報道写真の展覧会、『世界報道写真展』と『報道写真展』である。

56年から毎年、オランダのハーグ世界報道写真展事務局（後に世界報道写真オランダ財団）は、世界各国のプロカメラマンから、前年に撮影した写真を募集してコンテストを行い、入選、入賞、そして大賞を選定してその結果を発表する展覧会を行っていた。コンテストは政治、社会、スポーツなどいくつかの部門に分けて行われ、部門毎に入選、入賞、そして入賞者の中から、その年の最も優れた写真に対して〝世界報道写真大賞〟が贈られていた。沢田教一がベトナム戦争に取材した「安全への逃避」（65年）も大賞作品であった。

日本では68年から毎日新聞社の主催により、小田急百貨店を会場に『世界報道写真展』のタイトルで、毎年（71年、72年を除く）6〜9月の夏場に開催されるようになった。

展覧会は入選作品の中からの百数十点により構成され、プロカメラマンの視点で生々しく切り取られた、今世界で起きている様々な事件、事故、人々の生活を伝える作品群は、当初は大きな反響をよんで5万人前後の入場者数であった。73年以降は毎年1万人前後で増えもせず、減りもせずの安定した入場者数に落ち着き、夏場恒例の展覧会として定着していった。

私が文化催事を担当したのは81年から89年の間であるが、新聞などの報道でおぼろげながらの受けとめであったアフリカの飢餓、世界最悪の産業事故と言われたインドのボパール化学工場のガス漏れ事故、エイズ患者の肖像などの大賞作品がここに展示され、一枚の記録写真が切り取った表現の強い切迫感を記憶している。

小田急百貨店では90年まで毎年開催され、その後日本橋東急に会場を移し、現在は朝日新聞社の主催に変わって東京都写真美術館で開催されている。

『報道写真展』は東京写真記者協会の主催によるもので、この協会は、48年に在京の新聞社、通信社14社の写真記者169名で結成された組織である。59年12月、池袋西武でその年に報道した写真で1年を回顧する『1959年ニュース写真展』を開催したのが最初で、69年まで西武を会場として続き、70年から新宿小田急に移って72年から『報道写真展』となった。こちらは日本国内でおこった政治、経済、社会、スポーツ、芸能ほかの出来事を、加盟各社がその年に報道した写真から選んで1年を回顧するもので、小田急百貨店の年末恒例の写真展として親しまれていた。毎回、協会はその年の話題の人物を招いてオープニングセレモニーを行っていた。私がいたころには、中曽根首相や竹下首相、土井たか子社会党委員長、柔道金メダリストの山下泰裕などが来場し、これをまた各紙が報道することで展覧会の盛り上げを図っていた。

小田急百貨店での開催は、小田急美術館の閉館に伴って２０００年が最後となったが、展覧会はその後も会場を変えて継続し、現在は日本橋三越と横浜の新聞博物館で開催されている。

小田急百貨店では、こうした報道の写真展を毎年恒例で開催しながら、さらに内外の様々なジャンルの写真家を積極的にとりあげるようになるのだが、そのエポックとなったのが、海外の写真家では『**ヒューマン・ドキュメントの巨匠　ユージン・スミス写真展**』〔9月／日本経済新聞社〕、日本人写真家では、これまでにない圧倒的な山岳写真を展観した『**神々の座　白川義員ヒマラヤ写真展**』〔12月／アサヒカメラ〕で、ともに71年の開催であった。

戦後日本で、最初に大きな反響をよんだヒューマン・ドキュメントの写真展は、56年に日本橋髙島屋で開催された『**ザ・ファミリー・オブ・マン写真展**』〔3月／ニューヨーク近代美術館、日本経済新聞社ほか〕である。

この展覧会は、ニューヨーク近代美術館の企画によるもので、「世界の人々は皆同じひとつの家族」であることを写真によって人々の心に訴え、戦争の悲惨を避けようという念願から、世界の写真家に呼びかけて集まった写真を厳選し、５０３枚の作品で構成されたものである。55年1月にニューヨークで開催された後、世界各地を巡回し、いずれの地でも大変なセンセーションを巻き起こし、日本では日本経済新聞社の主催により開催された。東京会場では、会期23日間で約24万人の入場者を数え、その後全国に巡回して総計で１００万人以上の観客を集め、社会的にも大きな反響を呼んだ。この展覧会が、「(写真に対して) 一般に深い関心を誘う一つの動機となり、(……) 写真が、単に写真ファン層だけに止まらず鑑賞対象をひろく大衆に拡大した」〔〈日本写真界展望〉金丸重嶺〕

ことに結びついたと指摘されている。

ヒューマン・ドキュメントを含め、海外の写真家によるドキュメンタリー・フォトは人気が高く、その展覧会は50年代半ば頃から、各百貨店で開催されるようになった。特に日本橋髙島屋の取組みは群を抜き、『ザ・ファミリー・オブ・マン写真展』のほか、**『ロバート・キャパ氏とマグナム・フォトス写真展』**〔54年5月／毎日新聞社〕、**『ロバート・キャパ　日本の印象作品展』**〔54年6月／毎日新聞社〕、**『カルチエ＝ブレッソン写真展』**〔57年4月／毎日新聞社、カメラ毎日〕、**『ライフ傑作展』**〔58年4月／朝日新聞社〕、**『マグナム世界写真展』**〔60年3月／毎日新聞社、カメラ毎日〕と、当時の日本の多くの写真愛好家が崇拝していたと言っても過言ではない、キャパ、ブレッソン、ライフ、マグナムの展覧会を次々に開催していた。『マグナム世界写真展』の新聞評で飯沢匡は、「会場は満員の盛況で世間の写真熱の異常な高さに驚かされた」〔朝日新聞60年3月27日朝刊〕と伝えている。

ドキュメンタリー・フォトの展覧会は、60年代には、**『ロバート・キャパ戦争写真展』**〔銀座松屋／61年9月〕、**『エルンスト・ハース写真展』**〔池袋西武／62年7月／毎日新聞社ほか〕、『アンリ・カルティエ＝ブレッソン写真展』〔新宿京王／65年11月／毎日新聞社ほか〕、**『マーガレット・バークホワイト写真展』**〔新宿京王／66年10月／毎日新聞社ほか〕、キャパ、シーモアなどの**『〝時代の目撃者〟コンサーンド・フォトグラファー展』**〔銀座松屋／68年8月〕といった写真家たちが各百貨店で取り上げられ、またユージン・スミスも、既に64年2月に上野松坂屋において、日立製作所の依頼で撮影した「機械と人間の対比」をテーマとした作品70点の写真展が開催されていた。こうした各店の実績をみると、71年に小田急百貨店で開催された『ユージン・スミス展』は、ドキュメンタリー・フォトの写真展としては決して目新しいものではないが、先に「エポック」と記したのは、小田急百貨店の写真展にとってという意味である。展覧会は、〈スペインの村〉、〈アフリカのシュバイツァー〉、〈ピッツバーグ〉などの代表作を始めとして、これまでの全作品から選ばれ、スミスの仕事の全貌を伝えるもので、来日したスミス自身が展示構成を行った（スミスはこの来日の時から水俣の取材を開始する）。

　小田急百貨店にとって、これが初めての海外の著名な写真家の展覧会となったわけだが、この2年余り後、**『ヒューマンドキュメントの巨匠　アンリ・カルチエ＝ブレッソン写真展』**〔74年6月／PPS通信社〕を開催した。そして、79年から80年にかけて、PPS通信社の主催により**『カルティエ＝ブレッソンコレクション展』**〔79年2月〕、**『マグナム写真展』**〔79年7月〕、**『最前線に生きた写真家　ロバート・キャパ展』**〔80年4月〕を開催したが、既に50年代ほどにはドキュメンタリー・フォトに対する写真愛好家の熱意はなく、いずれも低調な入場者数であった。しかし、没後3年余りの82年3月に回顧展として開催された**『ユージン・スミス展』**〔PPS通信社〕は、代表作とともに最後の仕事となった〈水俣〉の25点も出品され反響をよんだ。

　この後、小田急百貨店の海外作家の写真展は、主にPPS通信社と組んで、アメリカの国立公園などの雄大な自然を題材とした**アンセル・アダムス**〔83年6月〕、近代芸術としての写真の確立を図った**アルフレッド・スティーグリッツ**〔85年5月〕、スティーグリッツの影響を受けながらファッション雑誌の写真も撮り、ニューヨーク近代美術館写真部長でもあった**エドワード・スタイケン**〔86年4月〕、スティーグリッツやアンセル・アダムスと交流をもち、被写体の造形美・抽象美を徹底的に追求した**エドワード・ウェストン**〔87年11月〕など、ドキュメンタリーの写真家から、被写体の美を追求することで写真史の中でも重要な地位をしめる写真家の作品展にシフトしていった。

　日本人写真家で白川義員がエポックであったのは、何と言ってもその入場者数による。

　展覧会会期は15日間、無料催事なのでどこまで正確な数字かは不明だが、小田急の記録によれば入場者数は10万人弱、1日平均６６００人であった。実数はともかく、連日大変な混雑であったという。

山岳写真家・白川義員は、62年にマッターホルンでたった一度だけ目にした奇跡的な〝風景〟との再会とその映像化を求めて、それから6年の間、ヨーロッパ・アルプスを撮影し続けた。その後、67年から3年余りにわたって、東はブータンから西のアフガニスタンまでの3000キロにわたる巨大山脈であるヒマラヤ全域の撮影に挑戦した。この成果は、71年に出版された作品集『ヒマラヤ』にまとめられたが、先行して69年に刊行されていた『アルプス』とともに、山岳写真の常識を覆すものとして驚きをもって迎えられた。

展覧会は、この『ヒマラヤ』の写真100余点で構成されたが、書籍で見ても、これまで目にしたことが無い壮大な山岳風景と評されていた作品が、会場では高さ2mを超える大画面に引き伸ばされ、その圧倒的な迫真力が多くの反響を得て上記の集客に結びついた。

『ヒマラヤ』の撮影には、航空機による空中撮影も取り入れられていた。『アルプス』でも既に試みられていた手法だが、これに対して、当時の日本の山岳写真界は、山岳写真のシャッターチャンスは自らの足で登攀する臨場感によって得られるもので、航空撮影で撮られた写真は山岳写真ではないと反発をしていたとのことである。展覧会はアサヒカメラの主催とあるが、反響が大きかったにもかかわらず、アサヒカメラなど主なカメラ雑誌に、管見の及ぶ限りだが、この展覧会の紹介や評価の記事が見当たらないのはそのためであろうか。だとすると、何とも狭量なことではある。

写真の展覧会は、これまでも都内の百貨店で数多く開催されていたが、写真家の個人展で10万人とも数えられた集客は前代未聞のことであった。小田急ではこれを皮切りに、日本人の現役カメラマンの今の仕事を紹介する展覧会を、80年頃までの間はほぼ毎年定期的に開催し、大体年に2本程度、75年には5本もの写真家個人の展覧会を行った。

取り上げた写真家の作品は、土門拳の**『古寺巡礼』**〔72年9月〕、**『文楽』**〔74年1月〕、**『室生寺』**〔75年9月〕、入江泰吉の『大和路』〔77年4月〕、並河萬里の『シルクロード』〔74年7月〕、『騎士団と巡礼の旅』〔76年5月〕、『シルクロード25年』〔81年4月〕、杉山吉良の『ヌード』〔72年2月〕、大竹省二の『ヌード』〔74年4月、75年3月〕、池谷朗の『女優・歌手』〔73年3月、75年9月〕、篠山紀信の『家』〔75年10月〕、三留理男の『ドキュメント中国』〔73年2月〕、久保田博二の『中国』〔80年5月〕、仁田三夫の『古代エジプト壁画』〔77年9月〕、三輪晃久の『建築写真』〔79年4月〕と、硬軟とりまぜ幅広く展開していた。

そして、80年以降も、年に2本の報道の写真展とともに、様々なテーマで内外写真家の作品を紹介し続けたが、90年代になると写真を専門に扱う東京都写真美術館のほか、横浜美術館、川崎市市民ミュージアムも写真部門を置いて写真展を開催する公立美術館も増加したこともあり、小田急百貨店での写真展の本数は減少した。

◉子ども向けの展覧会

日本の百貨店は、戦前から家族で訪れる楽しみの場であり、そのために屋上遊園や食堂のお子様メニューなど、子どもたちを引きつけるための仕掛けを次々に考え出していたことはよく知られている。そこでは催し物も大事な要素で、子どもたちに喜んでもらうために、三越の『児童(こども)博覧会』のように大がかりに行うことも多々あった。

戦後しばらくの間は、都内百貨店での子どものための展覧会というと、子どもたちが描いた絵の発表という教育的なものが多かった。50年代後半になると、団塊の世代の成長とともに、子どもたちの興味に沿ったものや、娯楽的なものも増え、60年代には百貨店売上げが大幅に拡大したことに歩調をあわせ、各店とも子ども向けの展覧会に力を入れるようになってきた。特に夏休みは、よりたくさんの子どもたちに来店してもらうために、各店とも企画に知恵をしぼっていたことが、展覧会のデータからも見て取れる。

小田急百貨店では文化大催物場開設の翌年から、そこを会場として毎年夏休みの間、子ども向けの展覧会を開

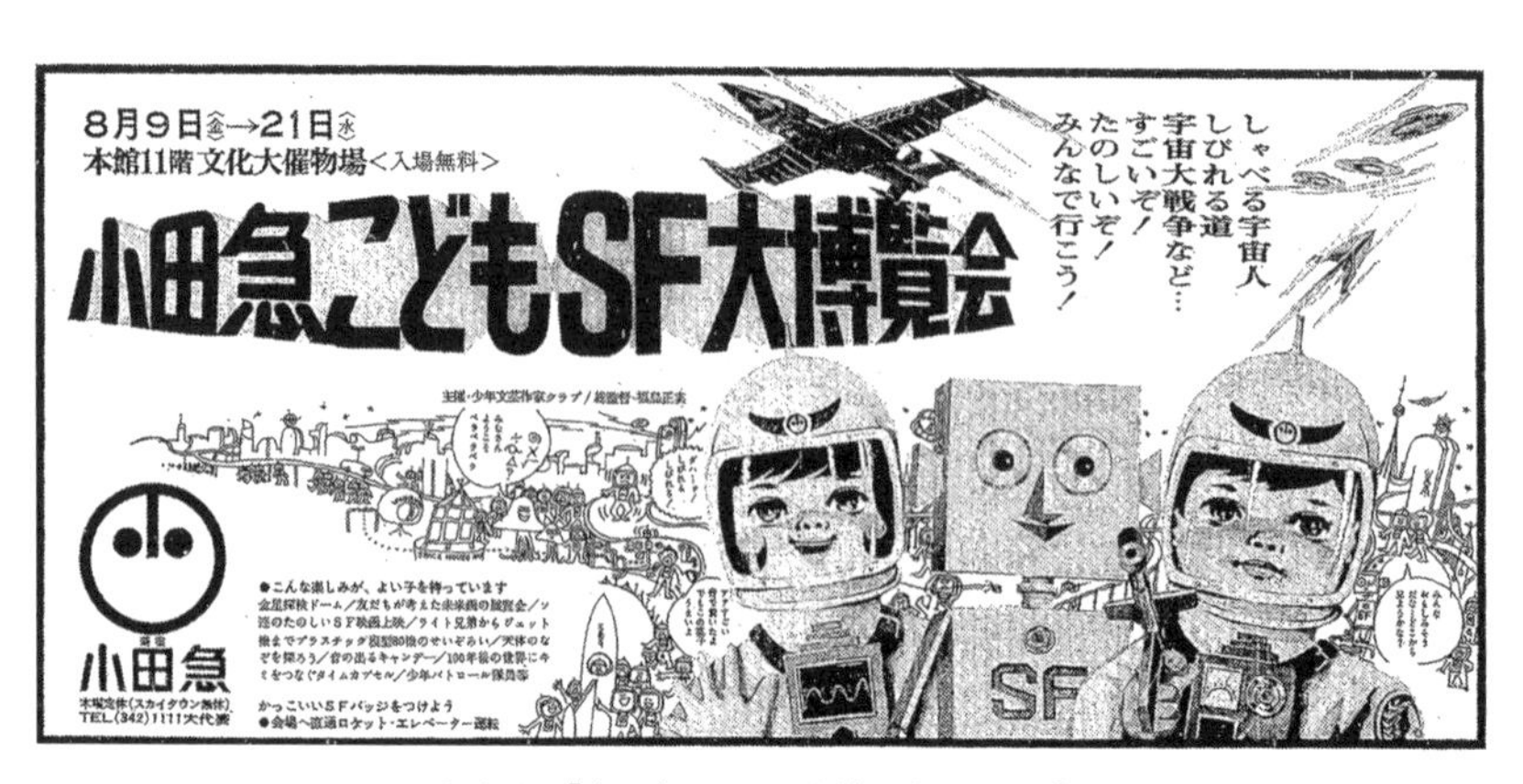

3-2-1 『小田急こどもSF大博覧会』広告［朝日新聞1968年8月8日夕刊］

催していた。子どもが相手とは言っても、展覧会に対する基本的な考え方は大人対象のものとは変わらず、新しいもの、珍しいもの、知ってはいるがもっと知りたいものを取り上げていくのだが、内容は、エンターテインメントに徹する、マニア的な好奇心を満足させる、学習的（教育的）な要素を取り入れるなど、展覧会ごとに様々な方向を考慮しながら構成していた。いずれにしても子どもたちが夏休みのひと時、現実から離れて楽しんでもらおうというのが、企画と会場づくりのコンセプトであり、子ども相手であるからこそ、子どもだましであってならず、驚きや楽しさのための演出には工夫を凝らしていた。

文化大催物場最初の子ども向けの展覧会は**『小田急こどもSF大博覧会』**［68年8月］で、新聞広告（図3-2-1）を見ると、〝金星探検ドーム〟とか〝100年後の世界にキミをつなぐタイムカプセル〟とある。具体的な内容は不明であるが、SFマガジン編集長でSF作家の福島正実が展覧会の総監督となっていることからすると、それなりの内容であったかと想像される。次の年の7月開催の『走れ!蒸気機関車展』は前章で紹介した。70年の**『大海洋展』**［8月／運輸省、日本海事広報協会、日本経済新聞社ほか］は、ジオラマ、模型などで、海の資源の開発・活用にスポットをあて、71年の**『日本のちょう展』**［7月／国立科学博物館、朝日新聞社］は、日本の蝶の理解を深めるとともに、蝶が住める環境を考えようというもので、いずれも公的機関の普及活動にタイアップした啓蒙的な内容であった。71年の『**怪獣バンバン大会**』〔8月／協賛：東宝映像〕、72年の『**変身分身大作戦**』〔8月〕は、一転してエンターテインメントの展覧会で、『怪獣』はキングギドラやミニラなど18頭、『変身分身』は、「フシギな宇宙とブキミな大陸からなるナゾの大国オダキュラス」〔読売新聞72年8月3日夕刊〕に生息するゴム人間やウォールマンなど、当時子どもたちに大人気であったウルトラシリーズや仮面ライダーに便乗した企画であった。73年はまた方向を変えて『**日本のからくり展**』〔8月／現代人形劇センター〕で、〈唐子の綾渡り〉や〈茶運び人形〉など江戸時代の仕掛け人形を展示し、74年の『**ふるさとのあそび展**』〔8月／現代人形劇センター、人形劇団ひとみ座〕では、なつかしい遊びの実演、工作、参加などで、いずれも博物館が行うような学習的な色合いが濃い展覧会であった。このように同じ子ども向けと言っても切り口はいろいろだが、いずれも入場者数を見ると反応は上々で、数万人を超える集客のものもあった。

76年からは、東京農業大学の進化生物学研究所を立ち上げた環境共生学のパイオニアである近藤典生教授の指導と同研究所の協力とを得て、『昆虫展』を毎年開催するようになった。

昆虫が好きな子どもは昔からいるが、カブトムシを筆頭に昆虫が子どもたちの間でブームになったのは、67年に新宿伊勢丹が『夏休みちびっこ昆虫公園』を屋上で開催して昆虫を販売したのがきっかけと言われている。翌年からブームが広がり、都内の百貨店では夏休み期間中いくつかの店で『昆虫展』を開催し、販売にも力を入れていた。ブームが落ち着いた70年代になると、販売を主体とするのではなく採集や標本作りを教える昆虫教室や生態観察のコーナーなど、昆虫だけでなく昆虫を取り巻く自然にも眼を向け、教育面にも配慮した内容になっていった。

小田急百貨店の『昆虫展』もこうした方向で展示を行い、76年の『**世界の昆虫王国展**』〔7月／読売新聞社〕は各国の珍しい昆虫の標本７０００箱の展示が中心であったが、77年『**昆虫界の驚異展**』〔8月〕からは、切り口を変えて、昆虫の生態展示や、昆虫相談のコーナーを設けた展覧会を毎年続けていった。

子どもに来てもらえれば、親も一緒に来店して買い物なり食事なりもしてくれて売上げにも貢献というねらいはもちろんあったが、それとともに、子どもは将来のお客様であり、長い目で見た固定客づくりという思いもあった。だからこそ、小田急百貨店に来ることが楽しいと思ってもらえるように、一過性の催しではあるが、内容や会場づくりに知恵をしぼって取り組んでいた。それは小田急に限らず、どこの百貨店でも同じであり、ここでも百貨店は、アミューズメントパーク、博物館といった都市の文化的なインフラのひとつとして機能していた。

◉運営の苦心

小田急百貨店の展覧会は、文化大催物場の開設によって常時開催となり、紹介したジャンルのほかにも様々な内容で展開し、さらに鑑賞者の層は限定せず多くの人に楽しんでもらおうとするものであった。また、他店とは異なるユニークなものも多かった。そうした文化大催物場、小田急グランドギャラリーの活動は、商圏を超えてより広い範囲で小田急百貨店の知名度をあげていくことにも貢献したと考えられる。さらに、新聞社や博物館・美術館など展覧会に携わる専門の人たちの間でも存在感を示すようになっていったが、ここではそうした小田急百貨店の展覧会は、どのような状況のもとで運営されていたのかについてふれておきたい。

その背景となる70年代の百貨店業界について述べておく。

60年代には〝黄金時代〟ともいわれた百貨店業界であったが、その足元では大型総合スーパーが小売業界の中での売上高シェアを着々と拡大し、70年前後には百貨店業界に追いついた。72年にはダイエーが小売企業トップの座を三越から奪い取って、小売業界の盟主が交代した。こうした流通革命といわれる動きのもとで、百貨店はそれまで持っていた比較的安価な日用品や〝いいものを安く〟のお値打ち品を売る機能はスーパーに太刀打ちできず、高級化、専門店化の道を歩むことになった。

スーパーとのシェア競争で後塵を拝するようになったとはいえ、73年には百貨店協会加盟店計で前年22・8%の伸びを示したように、業界としては順調に売上げを拡大していたのだが、73年10月に発生したオイルショックを契機に陥った消費低迷で、伸び率は急激に落ち込むことになった。しかし、75年以降は従来の高い伸び率は望むべくもなかったが、高級化、専門店化の路線は時代の流れにも合致し、業界全体としては、売上高は着実に拡大していった。

表3　日本百貨店協会加盟の東京23区内の百貨店（1977年末）

店名	店舗面積（平方米）	従業員数（人）	年間売上高（億円）
新宿伊勢丹	56,756	3,861	1,420
新宿小田急	66,742	2,845	745
新宿京王	40,952	1,967	601
上野京成	17,014	537	145
池袋西武	61,235	2,559	1,584
渋谷西武	31,992	1,079	390
八重洲口大丸	31,787	1,915	940
有楽町そごう	13,816	468	175
日本橋髙島屋	50,060	3,295	1,480
渋谷東急本店・東横店	64,360	2,386	1,080
日本橋東急	33,375	898	430
池袋東武	46,808	2,055	630
大井町阪急	15,068	400	150
数寄屋橋阪急	6,641	320	160
上野松坂屋	41,452	2,190	727
銀座松坂屋	25,352	1,000	333
銀座松屋	31,895	1,208	415
浅草松屋	18,969	561	145
日本橋三越	55,929	4,316	1,652
新宿三越	21,175	1,102	400
銀座三越	23,181	1,069	398
池袋三越	15,286	833	267
玉川髙島屋	25,979	691	213

•年間売上高は昭和52年暦年（1〜12月）の推定値
•店舗面積は昭和52年10月末現在の大店法による店舗面積＋兼業面積（食堂・サービス）
•従業員数は昭和52年10月末現在
•八重洲口大丸の売上高には町田大丸を含む
※「日本百貨店協会創立30周年記念　会員百貨店のあゆみ」により作表

表3は77年時点の東京23区内の百貨店店舗一覧である。

60年代の新規店舗は新宿小田急、池袋東武、新宿京王、東急本店、渋谷西武、玉川髙島屋の6店舗

であったが、70年代は上野京成の1店舗だけであった。70〜79年比較で、店舗数は24→25店、売場面積は75万7000㎡→81万5000㎡で1・08倍と微増だが、売上高は都内百貨店計で6564億円→1兆5923億円の2・42倍と大きく拡大した。比例して広告や催事などのプロモーションにかける経費の絶対額も増大し、売上伸び率が低下した70年後半も、百貨店全体では展覧会は相変わらず盛んに開催されていた。

小田急百貨店では、73年ころまでは文化大催物場の集客も比較的順調で、運営のための経費もそれなりに予算建てされていた。しかし、73年の後半、つまりオイルショックのあたりから風向きが変わってしまった。

変化のひとつは、展覧会の集客力に陰りが見えてきたことである。

百貨店の展覧会全体を見渡すと、50〜60年代、どんな展覧会でもほぼ一定程度以上の入場者数があり、集客策として確実なものであったのだが、70年代になると、展覧会を開催すれば必ず人が集まるということでもなくなってきた。集客力が低下した要因については、展覧会の開催本数の増大による各会場間の競合であるとか、人々の情報の取得手段の多様化であるとか、様々なことが想定されるが、いずれにしても入場者が集まらない展覧会が増えてきた。小田急百貨店の展覧会でもこうした現象が起こり始め、さらに73年度あたりから、年間を通しての入場者総計も大きく減少してきた。これに関係するのが、風向きのもうひとつの変化である展覧会のための経費予算（文化催事予算）の大幅なカットであった。

百貨店が展覧会を行うのは営業活動の一環であるので、そこにかかる経費は販売促進費や宣伝費と同じく販売管理費の範疇であり、何か特別なポケットがあるわけではない。経費をどの部分に振り向けていくかという戦略的な判断はあるにしても、展覧会にかける総経費は、通常は売上げにリンクして、それが不振であれば抑えられていくことになる。

小田急百貨店の売上高をみると、67年以降、74年まで毎年二桁の伸び率を示していたが、オイルショック以降、一転して一桁の、しかも5％前後で推移する年が続いた。業界全体も伸び率は低下していたのだが、これは業界平均を下回る数値で、小田急百貨店にとってはかなり厳しい状況であったようである。そのため文化催事予算の抑制が図られたものと思われるが、展覧会の入場者数が減少傾向になっていたことも、それに輪をかけたと推測される。73年度にピークであった文化催事予算は年々減額され、76年度にはピークに比較して10％以上の減、77年度には同じく20％以上の減となって、以後数年この水準で推移し、ピーク時の予算に戻ったのは84年度になってからであった。

データを見ると、この頃から展覧会の開催本数が減少していて、経費抑制への対応策と考えられるが、これも年間の総入場者数を押し下げる要因となり、経費抑制と入場者数減の悪循環が起きていたようである。また、もうひとつの対応策として、高額な経費がかかる展覧会の数を抑えるとともに、より少ない経費でできる展覧会の開催を多くしていった。

他店では展覧会は催し物のひとつとして物販催事などと同じ会場で行われ、開催は不定期であったのに対し、文化大催物場は展覧会専用の施設で年間通しで展覧会を行うため、その開催本数は他店に比較して多かった。しかしながら、三越、髙島屋など売上げ上位の店に比較すれば経費予算の絶対額は少ないため、つまりは1本当たりの平均でみると、小田急百貨店は他店に比較して少ない予算で運営していたのが、ここでさらに少ない経費で取り組まざるを得なくなった。

そのあらわれのひとつが、小田急の文化催事の中心路線のひとつとして位置づけていた〝歴史・考古シリーズ〟が、75年4月の『縄文人展』を最後に開催されなくなったことである。既に紹介したように、このシリーズは69年から『平城宮展』など7本の展覧会が開催され、いずれも多くの入場者を集めてきた。年に1本程度は開催していきたいとしていたが、展覧会として仕立て上げていくためには多額の経費がかかることから、やむなく取りやめとなったようである。

また、おおよその傾向であるが、経費負担は、海外展よりは国内展の方が軽く、作り物や展示ケースが必要となる科学・歴史・考古・陶磁器の展覧会よりは壁面を建てるだけで展示できる絵画・写真の方が相対的に会場造作費は低く抑えられる。こうしたことで小田急百貨店の展覧会は、国内の近現代作家の美術展と写真展の比率が高くなっていったと考えられる。

経費をかければ良い展覧会になるわけではないし、少ないと内容が貧弱になるわけでもない。少ない経費でも、いかに見応えがあり、お客様に喜んでいただける展覧会に仕立て上げられるかは、まさに担当の知恵の絞りどころであった。小田急百貨店のこの時期の展覧会の実績をみると、少ない予算ながらも他店と比較しても決して劣る内容ではなく十分に評価に値するものであった。

3 西武美術館の開館

68年頃から銀座三越はこれまでたまにしか行わなかった展覧会を多く開催するようになり、渋谷東急本店でも、67年の『近代フランス絵画展』の後、業績の関係か3年ほど展覧会をほとんど行っていなかったのが、70年10月に増築記念で『クロード・モネ展』を開催してから、やはり展覧会を頻繁に行うようになるなど、70年前後から各店とも店の認知向上や広範囲からの集客を目指して、これまで以上に展覧会に力を入れ大型の企画も多くなっていった。

より広範囲からの集客と店の認知とともに、展覧会を直接的な販売促進策としてとらえ、70年代に入ってさらに増えてきた海外フェアの賑やかしとして、その国の芸術・文化・歴史の展覧会の開催頻度も高くなっていった。日本橋三越は、70年代には特に海外フェアに力を入れ、毎年、全館で大々的な英国フェア、フランスフェアを交互に開催し、その都度、例えば**『ヘンリー8世・エリザベス1世　近世英国興隆展』**〔71年10月／サンケイ新聞社ほか〕、**『王侯・貴族と芸術家たちの華麗な生涯の物語　ロワールのシャトー物語展』**〔72年10月／読売新聞社〕といった展覧会を併催していた。このほかにも、全館のイタリアフェアで**『栄光の遺跡　大ポンペイ展』**〔76年4月／読売新聞社〕、アメリカフェアで**『アメリカ建国200年記念　18〜20世紀ホワイトハウス大統領夫人服飾衣裳展』**〔76年8月／サンケイ新聞社〕を併催し、**『古代マヤ文明展』**〔72年8月／朝日新聞社〕、**『故宮博物院秘蔵　中華人民共和国明清工芸美術展』**〔74年9月／日本経済新聞社〕ではそれぞれメキシコ、中国の商品の即売会を大々的に行うなど、展覧会と販売促進とがリンクするように企画されていた。

　こうした、展覧会を店の認知向上や集客増を図る、あるいは販売促進策と考える他店とは全く異なる発想で、展覧会を行う場所＝美術館を設置したのが西武百貨店であるが、そこに移る前に、70年代前半の池袋、渋谷の西武百貨店とその周辺について述べておきたい。

　池袋では、西口の東武百貨店が、別館として営業をしていた旧池袋東横の建物を取壊し、新たに地上15階、地下4階、高さ76m、当時の日本の百貨店では最も高いビルとなる東武新館を建設した。これによって売場面積は従来の約2倍の4万6000㎡となり、都内6位の規模の百貨店となった。これまで東口に比較すると、パッとしない街ととらえられていた西口の再開発を重視して店づくりに取組み、さらに街の新しいイメージ形成を目指して、〝ぶらぶらデート〟という言葉をもとに、そこに様々な意味をこめた〝ぶらんでーとTO-B〟をシンボルフレーズとして71年11月にオープンした。

東口では、これに先んじて、若い女性たちの人気を集めていたパルコと西武百貨店をつなぐ〝レインボーステップ〟と名付けられた連絡通路が、パルコ開業4ヶ月後の70年3月に早くも完成した。百貨店とパルコをつなげることは、「何かが起こる、何かがみつかる——自由で楽しい街 プロムナードタウン池袋」と新聞広告［毎日新聞70年3月20日朝刊］にあるように、このふたつの店でひとつの街をつくっていこうというものであり、西武の小売・流通業としての広がりを印象づけるものであった。

西武百貨店とパルコとの相乗効果を、さらに鮮明に示した場所が渋谷であった。

パルコが渋谷に出店したのは73年6月、渋谷西武から区役所通りとよばれるうらぶれ感のただよう坂道をあがってたどりつく場所に開業した。もとは、渋谷西武の駐車場用地として確保した土地とのことだが、堤の盟友で池袋パルコを成功させた増田通二は、ここでパルコの名を池袋という一地域のファッションビルから全国区に導いていった。用事もないのにここに来て、ここに来れば面白いことがあるとまで言われたように、劇場、ライブハウス、DCブランド、とがった広告で若者の心を摑み、渋谷を若者の街に変えていった70〜80年代のパルコと増田通二の記録は数多くあるので詳細は省く。

ただ、渋谷が若者の街に変貌していったのは、パルコ、渋谷西武、劇場などのエンターテインメント施設、ファッション、石岡瑛子ディレクションの広告といったハード、ソフトのそれぞれが単体で機能したわけではなく、それらを重層的、複合的に展開した結果の回遊性に富んだ街づくりにあったことはまちがいない。

ここで、パルコと渋谷西武が行った展覧会について簡単に述べておきたい。

専門店ビルが文化的な催し物を行っていた例は、60年代の新宿ステーションビルでもあり、それほど頻繁にというわけではないが、新聞社の主催で美術、歴史などの百貨店が行うような展覧会を開催していた。渋谷パルコもテナントを集めた専門店ビルであったが、ここの展覧会のほとんどはパルコの企画で、ユニークなもの、時代に先駆けるものが多かった。一日限りであったが『**粟津潔映像個展**』〔74年5月〕、ヘアメイクを展覧会にした『**近江礼一ヘアデザイン個展**』〔74年9月〕、日本ではまだなじみの薄かった『**ノーマン・ロックウェル展**』〔75年6月〕、また『**アメリカン・パロディ展**』〔76年9月〕、『**横尾忠則ポスターデザイン展**』〔78年6月〕、『**山藤章二ブラックアングル展**』〔78年8月〕など、若者の興味をひくサブカル的な展覧会を数多く開催していた。

一方、渋谷西武は、68年の開業後、いずれも読売新聞社の主催により、モジリアニ〔68年5月〕、ゴーギャン〔69年8月〕、ミレー〔70年8月〕、モネ〔73年3月〕、マチスと野獣派〔74年8月〕、キスリング〔75年4月〕と、人気の近代フランス絵画のほか、日本の絵画、写真、歴史、文学など幅広い内容の展覧会を開催していたが、75年の西武美術館開館後はこうした展覧会は渋谷ではほとんどやらなくなり、変わって『**五木寛之・石岡瑛子ジョイントギャラリー**』〔77年1月〕、『**寺山修司の千一夜アラビアンナイト展**』〔77年2月〕、『**現代フランスコミック展　シネと12人の仲間たち**』〔77年4月〕、『**われらのチャップリン展**』〔77年11月〕、『**玉三郎の宇宙**』〔78年11月〕、『**和田誠百貨展**』〔79年5月〕など、比較的ライトな、パルコに呼応するような展覧会にシフトしていった。こうした展覧会は、それによって個々で集客を図るというよりも、同じ感覚のものを積み重ね、反復して実施していくことで、ひとつのメッセージを発信していたと考えられる。展覧会は、渋谷における西武流通グループ全体の中では小さな発信ではあるが、それでも渋谷がどのような街であるかを人々は感知することは出来たであろう。

再び池袋に戻る。75年9月、池袋西武は、5年にわたる増改築工事を経て、5万4000㎡という日本一の売場面積をもつ店となり、12階には百貨店で初めての常設の美術館として西武美術館が置かれた。館長でもある堤は、開館の時の宣言文〈時代精神の根據地として〉において、この美術館はいかにあるべきかを主張しているが、西武百貨店との関わりを語ることなく、また、動員が期待できる印象派的な企画の提案に対しては嫌な顔をする人物であった。堤が百貨店の中に美術館を置いたのは、直接的な集客を目的としたのではないことは明らかであり、これによって販売促進を図ろうとは考えてもいなかった。

では、堤はこの美術館を百貨店のためにどのような意図があって設立したのか、堤自身が明瞭に語ることはなかったため、確かなことはわからない。ただ、西武百貨店は、71年年頭の新聞広告で文化的な催し物をする場所を「街の美術館」とし［朝日新聞71年1月1日朝刊］、その表現を以後の年頭広告でほぼ毎年続けてきた。堤は池袋西武の売場配置自体をひとつの街と見立てていたが、自由で楽しい街には文化発信をする場所（それを「美術館」と称していた）があって然るべきと考えていたことは確かである。その考えは、リニューアルオープンで新聞各紙に掲載された広告のキャッチコピーの「公園がある　美術館がある　新しい西武」にも表れている。新しくなった西武百貨店はひとつの街であり、街のインフラである公園と同等の構成要素として、美術館が位置づけられている。

そして、この全館リニューアルオープンの後、池袋西武は快進撃を続ける。9月、10月は日本橋三越を抜いて月間売上高日本一の店となり、以後も毎月の売上高の伸び率がコンスタントに都内百貨店の平均を上回って、単店舗の売上高で都内百貨店2位の座をキープするようになった。また支店を含めた西武百貨店全体の年間売上高でも、ほぼ毎年、業界一位の三越を上回る伸び率を示すようになった。この結果は、〝文化戦略〟の成功と業界、マスコミに受け取られ、その象徴となる西武美術館の存在は大きくクローズアップされることになった。だが、その文化戦略、イメージ戦略は、実は美術館だけで成り立っていたわけではなく、百貨店の店舗・売場構成、商品、品揃え、広告などの総合力に加え、パルコを始めとするグループ企業の活動があってのことであった。

しかし、〝文化戦略〟についての業界、マスコミの捉え方には、やや乱暴な図式化であるが、〝文化戦略＝美術館→集客・イメージ向上→売上拡大〟という思考回路があったと思われる。日本橋三越が西武への対抗心からか、従来文化的な催し物の会場表記は〝ギャラリー〟としていたのが、77年2月の展覧会から唐突に〝三越美術館〟となったのも、その思考の一例であろう。

いずれの百貨店でも、見えがかり上は池袋西武と同じように展覧会を行っている。西武は美術館を設置して展覧会を行うことで営業成績を向上させているという評価を前に、これまで百貨店ならば行うのが当たり前と思われていた、〝販売を伴わない文化的な催し物〟を自店で行うことの目的、つまり自店ではどのような成果を得るために行っているのかが改めて問われるようになった。

前章であげた『宣伝会議』の〈企業イメージ形成に寄与した文化催事〉において、小田急百貨店の小林は文化催事の使命、目的として、①顧客動員、②店格の向上、③新規顧客の開拓、④地域社会への奉仕、⑤国際親善、⑥その他をあげて、目的は単独ではなくふたつ以上が複合されているとしている。

このうち、成果がはっきりと視覚化される〝顧客動員〟について、「文化催事は、顧客動員数によってその成否を評価してはならない。質的レベルの高いものが吸引力をもっているとは限らない。むしろ逆の場合の方が多いだろう」と、集客数のみに拘泥することに釘を刺している。そして、「継続と繰り返しによる累積効果によって真の目的が達成される」という言い回しで、長い期間にわたる積み重ねがあってこそ〝店格の向上〟以下の目的が達せられると主張している。ここでの主張は、展覧会の評価軸は入場者数だけではなく、質にも眼を向けなければならないということで、しかもきちんとした内容のものを続けていかなければ、本来の目的は達成出来ないという趣旨であった。

同じ『宣伝会議』に掲載の、銀座松屋で長く展覧会を担当していた小林敦美の〈文化催事の意味とあり方〉でも、使命、目的として①イメージ形成、②顧客動員、③社会への利益還元をあげているが、やはり「一時的な顧客動員数で評価してはならない」として、目的の達成のためには、長い期間の積み重ねと質の維持向上が必須としている。いずれも、目的のひとつとして〝顧客動員〟をあげているが、ただ成果は一過性の集客だけではもたらされないと主張し、良質な展覧会を積み重ねていくことで得られる〝店格の向上〟や〝イメージ形成〟も成果であるとしている。

この展覧会を行うことの成果は何かという問いに、小田急、松屋とも、また西武とも別の答えを出したのが伊勢丹である。

70年代の百貨店業界では、西武百貨店が台風の目であった。都内の単店売上げでも池袋西武は日本橋三越に迫る勢いを示し、渋谷西武もパルコとともに渋谷を若者の街に塗り替えていった。西武のおかげで、池袋、渋谷の元気さが目立つ一方で、新宿は〝若者の街〟を渋谷に奪われ、70年代後半には地盤沈下も言われるようになっていた。こうした情勢下、新宿伊勢丹は婦人服部門を中心に、高級イメージの大規模なリニューアルを行い、これを機に「文化施設・催事は必ずしも購買にはつながらないが、顧客の動員、新しい顧客の開拓には有力な手段だ。〝豊かな生活文化のある暮らし〟を提案する百貨店にとって、絶対に必要なもの」［日経流通新聞80年1月17日］として、79年9月、新館8階に550㎡の〝伊勢丹美術館〟を開設した。つまり、〝文化的な催し物〟は、基本的には美術という枠組みでこの場所で行い、その成果は顧客動員とした。ただし、集客装置と位置付けた美術館は、単に店への集客ということだけではなく、新宿東口地区商店街の核である伊勢丹として、地域への集客も視野に入れて［読売新聞79年9月9日朝刊］のことであった。

（1）ATG（日本アート・シアター・ギルド）は非商業的な芸術映画を専門に上映することを目指し、全国10館の加盟館を擁して61年11月に発足した。新宿文化はその主力劇場で、難解な映画を上映する高尚な映画館として、新しい文化に敏感な人たちのたまり場にもなっていた。上映作品の選定は主として映画批評家たちによって構成された選定委員会が行って、国内外の秀作が取り上げられていた。60年代半ば頃までは、海外の作品が多かったが、67年頃から、大手の商業主義から離反して独立プロをおこしていた大島渚、吉田喜重、篠田正浩を始めとして、ドキュメンタリー分野やテレビ、演劇界など様々な分野の人たちが監督となって製作した、個性的、実験的、前衛的な日本映画が増えてきた。68年、69年だけを取り上げても、「絞死刑」「新宿泥棒日記」「少年」（以上大島渚）、「初恋：地獄篇」（羽仁進）、「肉弾」（岡本喜八）、「さらば夏の光」（吉田喜重）、「心中天網島」（篠田正浩）、「薔薇の葬列」（松本俊夫）など、質の高い問題作が次々と上映されていた。（この項［〈ATG三十年の歩み〉佐藤忠男］による。）

（2）68年10月21日の国際反戦デーで新宿駅東口に集結した新左翼系のデモ隊が国鉄新宿駅に乱入した。夜9時頃から深夜にかけ多数集まった野次馬とともに投石、放火、施設破壊に及んだため、深夜に騒乱罪が適用され多数の逮捕者が出た。新宿を中心に交通機関の麻痺・混乱は翌日まで続いた。

（3）国芳の展覧会はこれに先駆け71年5月に、サントリー美術館で『奇想の画家　歌川国芳展』も開催されている。

（4）〝近世異端の芸術〟というサブタイトルの展覧会は、61年11月に、やはり日経の主催により上野松坂屋で『白隠、仙厓、円空、木喰展』があった。美術評論家・鈴木進は10年の時の経過で、白隠、仙厓は〝正統〟の仲間入りをし、新たに蕭白、芦雪、若冲が〝異端〟として注目され始めたと指摘している［『近世異端の芸術展』図録］が、ここで円空・木喰が変わらず〝異端〟とされているのは面白い。

（5）データの出典等は以下の通りである。

・全国美術館会議、美術館連絡協議会の加盟館（いずれも２０２１年６月現在）、２０２０年度日本博物館協会会員、国立新美術館「日本の美術展覧会記録」に収録の美術館、以上から公立の館を抽出、これに日本博物館総覧（２０１１年）も参照し、４１２館を調査対象とする
・美術展を開催できる文化会館など複合文化施設も含める
・歴史的資料、民俗資料、産業などの展示がほとんどの館、および市民活動のみの館、計10館を除き、４０２館で作表
・開館年は、各館の広報資料、Ｗｅｂサイトで確認し、記載がない場合は各自治体の設置条例で確認
・各年の累計館数は、当該年に閉館した館数をマイナスしている

（6）「昨年、東京・小田急百貨店で開催された岸田劉生展は、この麗子シリーズをひとつの壁面に展示して壮観であったが……」と土方は著書『岸田劉生』で記している。

（7）主なシリーズ展は、

『一流画家のスケッチ展』シリーズ：銀座松屋、１９５６〜64年、50回
『異色作家』シリーズ：渋谷東横、１９５７〜63年、30回
『やきもの教室・名陶』シリーズ：日本橋白木屋、１９５９〜64年、34回
『日本美術』シリーズ：新宿伊勢丹、１９５９〜64年、50回
内容は、前著『百貨店の展覧会』で詳述、ほかにもいくつかのシリーズ展があった。

第4章

バブルの時代の文化戦略

1 小田急グランドギャラリーの展覧会

80年代になって、小田急グランドギャラリーでは百貨店の多様なお客様のために、ジャンルや幅を広げて様々な展覧会を開催していくようになった。もちろんそのすべてが成功したわけではないが、全体としては特定の層だけに偏らず、子どもから大人まで、いろいろな趣味や嗜好の方たちに、その時々で楽しんでいただき、小田急百貨店のファンづくりに貢献してきた。

私がグランドギャラリーで文化催事を担当したのは、81年からの8年間であったが、次から次へいろいろなジャンルの展覧会を、年に十数本も、しかも潤沢とは言い難い予算のもとで、よくこれだけ開催していたものだと、その忙しさとともに思い返している。

80年代のグランドギャラリーの展覧会は、アンリ・ルソー［81年10月］、シャガール［83年5月］、ユトリロ［85年

11月〕、横山大観〔83年1月〕、菱田春草〔87年1月〕など近現代の人気の高い画家も取り上げるようになったほか、ヨンキント〔82年10月〕、ターナー〔85年4月〕などヨーロッパ絵画の巨匠たちや、J・M・フォロン〔85年6月〕、ポール・デービス〔87年3月〕など欧米のグラフィックアーティスト、鹿児島寿蔵〔84年9月〕、金城次郎〔88年4月〕といった人間国宝、日本で最初の本格的な紹介となったヤマガタ・ヒロミチ〔84年2月〕など美術展の内容にバラエティが増した。さらに、古代エジプト〔87年4月〕、古代ギリシャ・ローマ〔89年3月〕の古代文明、徳川将軍十五代〔83年4月〕、皇女和宮〔86年1月〕の歴史ほか、文学や人物など様々なテーマの展覧会となった分、70年代のように中心路線といった位置づけのものはなく、ひとつひとつでは注目すべきものもあるが、ある傾向で括って論じていくことは難しい。

そこで、80年代を語るにあたっては、私が担当したいくつかの展覧会を題材にしながら、小田急グランドギャラリーがどのような意識や考えで、展覧会に取り組んでいたかを紹介していきたい。

◉百貨店の主体性――斎藤茂吉展

百貨店の展覧会は、企画は新聞社で百貨店は会場を提供するだけという図式でとらえられることもあるが、そんな受身の立場ではないということを、身をもって知ったのが『**斎藤茂吉展**』〔82年3月／山形県上山市、読売新聞社〕であった。（図4-1-1）

山形県上山市から、同市（旧金瓶村）に生まれ、明治～昭和を代表する歌人である斎藤茂吉の生誕百年を記念して、その業績を顕彰する展覧会を東京で開催したいとの申し入れがあり、その話を受けたのが81年の11月であった。そこで決まっていたのは、監修の先生と翌年の3月に開催することだけで、具体的な中身は小田急に一任された。開催まで4ヶ月しかないところで、私が担当を命じられたのだが、グランドギャラリーに異動して半年もたっていない私には、〝4ヶ月しか〟の意味が全くわかっていなかった。

学生の頃、北杜夫の『どくとるマンボウシリーズ』のいくつかは愛読し、『楡家の人びと』も読んではいたが、『赤光』を始めご本人の歌集にはふれたこともなく、茂吉について付け焼刃で勉強をしつつ、監修の先生と展覧会の構成と出品資料の打合わせをすることから始まった。

その後は、やらなくてはならないことが次から次へと押し寄せ、上山市の茂吉記念館を始めとして何ヶ所かの所蔵先まで出向いての出品依頼や写真撮影、出品リストを作成しながら展示構成、図録の編集指示や執筆依頼と校正、宣伝物の作成、会場図面を引いて発注、再び所蔵先をまわって出品物の集荷と、いろいろなことを並行して進め、時間がいくらあっても足りないような思いをしながらも、オープニングにこぎつけた。もちろんすべてを一人でやったわけではないが、文化催事に異動して半年余りの私に

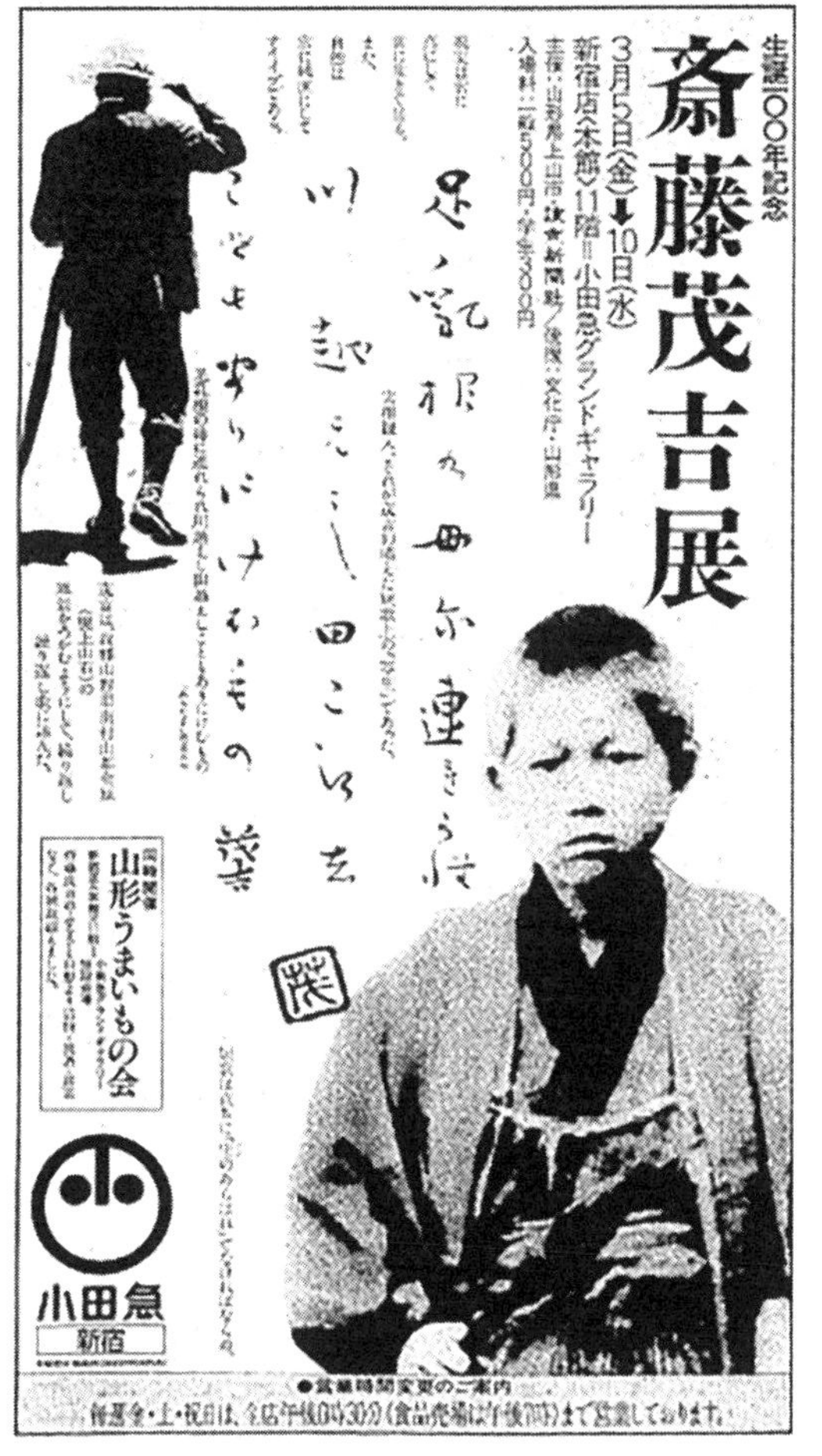

4-1-1　『斎藤茂吉展』広告［読売新聞1982年3月4日夕刊］

とってはハードではあったがいい経験をさせてもらい、展覧会をつくりあげていくことの面白さを知ることができた。聞けば、このように百貨店の方で展覧会を一からつくりあげていくのは珍しいことではないと教えられた。

百貨店の展覧会への関わり方は、主催者が仕立てあげた展覧会に会場を提供するだけという場合もあり、この**『斎藤茂吉展』**のような場合もあり、両者が相談し役割分担であたる場合もありと様々であった。また、会場提供の場合でも、百貨店側から内容に注文をつけたり、変更を求めることもあり、何よりも主催者からの企画提案を受けるか受けないかは百貨店の判断で、展覧会事業を進めていくにあたって百貨店の主体性は常に確保されていた。

◉ターゲットと違う――わたしたちの弘法大師展

弘法大師入定1150年を2年後に迎えるのを機に、読売新聞社の主催により開催される**『曼陀羅の人　わたしたちの弘法大師展』**［82年10月］を担当した。弘法大師ゆかりの仏像、仏画、仏具、書など100余点を展観するとともに、四国霊場会と善通寺の協力により、〝四国八十八ヵ所霊場めぐり　お砂踏み〟のコーナーが会場内に置かれた。

〝お砂踏み〟とは、各霊場の本尊の写し仏を祀り、その前に置かれたそれぞれの霊場から集められた〝お砂〟を踏みながら合掌して歩くと、わずかな時間で2ヶ月はかかる八十八ヵ所の霊場巡りと同じ功徳を積むことができるというものである。四国までなかなか行けない人や体力的に難しい人のために、昔から行われていたとのことで、寡聞にして知らなかったが、面白いことを考え出すものだと思った。

展覧会の準備で忙しかった時、突然に営業本部の某から、「弘法大師はターゲットと違う」と文句が入った。〝ターゲット〟とは、マーケティング用語で、自社の商品やサービスを販売しようとする対象（的）のことである。自社の市場を分析して適切なターゲットを定め、その趣味、嗜好、関心にあわせて、小売業の場合であれば、品揃え、店づくり、販売促進活動の展開をするという考え方で、ファッション業界では70年代になってから徐々にそうした考えが浸透していた。

入社してからそれまで、ファッションとはあまり縁のない職場にいた私は、おぼろげながら耳にしていた話ではあったが、「はて何のこと?」と思った。「うちのメインターゲットはヤング、アダルトだろ、ヤングが四国八十八ヵ所巡りをするか?」との問いかけであった。「本部会議で了承されている催事のことを今さらぺーぺーの私に言うなよな、文句があるなら会議の時に言えよ、あんたもその会議に出ていただろう」と内心毒づきながらも、何と答えてやり過ごしたかは忘れた。「本部がこんなこと言っています」と上司に伝えたら、「お客様を〝的〟にするなんて失礼だ、ほっとけ」であった。

展覧会のお客様は予想通り7割方はシニアであったが、日曜日にはファミリーも多くジュニアの入場者も少なからずいて、お砂踏みは好評を得ていた。ヤングである会場整理の学生アルバイトたちも、閉店後、結構おもしろがってお砂を踏んでいた。

ターゲットを決め打ちして企画を続けていけば、百貨店の展覧会としてはすぐに行き詰る。ある時はシニアで、ある時はアダルト、ヤング、時にはジュニアと、幅を広げて企画を回していくことの理解を得るのも大変だと実感したものである。

◉子ども向け展覧会場の臨場感——鉄道展

小田急百貨店の夏休みの子ども向けの催し物は、『昆虫展』が定番となっていたが、たまには目先を変えてということで、『**鉄道展**』〔83年7月〕を開催することになった。HOゲージ鉄道模型を、珍しいものも含めて相当数コレクションをしている方がいて、それを展示の核にしてというのが話のきっかけであったかと記憶している。

当然、小田急電鉄にも協力を求めた。写真資料、現物備品、運転席からの映像等々の展示や、解体部品、記念乗車券の販売などを依頼したのだが、その打合わせの場で、近く今まで現役で走っていた電車が廃車になるという話が出た。どちらからともなく、その廃車になった現物を会場に展示出来たらおもしろいということになった。もちろん1車両全部などは無理な話で、先頭車両の運転席から、客用シートを含めて乗降扉の際までの部分をカットしてなのだが、さてこれをどうやって会場まで持ち込むかが問題となった。車輪など台座部はなく車体部分だけとは言え、その大きさ重さが載るエレベーターはなく、クレーンを使うには莫大なお金がかかる。それでは運転台や客席シートなどばらせる部分はばらして、車体は切り分けたらどうかとなったのだが、切り分けた後の車体を短時間で溶接、塗装してきれいに復元するためには3分割が限度というのが技術屋さんの見解であった。しかし、3分割程度では、そのひとつでもエレベーターに載せられる大きさではなく、結局は3分割したものを人力で運びあげようということになった。

出入りの運送会社に頼んで、作業員は十数名、搬入は1階から11階の会場まで、幅員の関係で客用の階段を使用するために閉店後の作業、それでその日のうちに終了の見込みであった。ところがこれが甘い見込みで、無理な体勢で運びあげるため作業員の疲労甚だしく、2回目、3回目の運搬になると半フロアごとの踊り場まで持ち上げては休憩を11階まで繰り返し、結局搬入作業は明け方まで続いた。展覧会が始まると、作業の人たちの苦労も実り、子どもたちは喜んで次々に運転台に乗り込んでいった。（図4－1－2）

小さいお子さんのために、会場内にレールを敷いて豆列車を走らせた。電鉄に頼んで駅で使っているのと同じ本物の券売機を置き、1周10円の乗車券を販売した。そして、電鉄から借用した本物の制服、制帽を身につけ、これも本物の鋏で駅員よろしく改札を行った。これで稼ごうとしたわけではなく、小さい子が券売機で切符を買

4-1-2　『鉄道展』会場風景［写真撮影・提供：狩野敦博］

いたがる光景をよく見かけていたので、自分で本物にお金を入れることが出来れば喜ぶだろうという目論見であった。これもまた好評で子どもたちが券売機に列をつくった。

会期中のある時、券売機のところから、若い男性のお客様が物凄く怒っていると連絡があった。話を伺ってみると、こうである。乗車券には連番で4桁の数字が印字される。そのお客様が買った乗車券が、たまたま9900番台の後ろの方であった。そこで、〝9999〟と〝0000〟の乗車券を手に入れようと、券売機のそばで購入の人数を数えながら、そのタイミングで購入しようと思っていたのに、係員の列の整理が悪くて買い損ねてしまった、どうしてくれるというクレームであった。電鉄に問い合わせてみると、連番のリセットや印字の逆戻しはできない、1万回発券すれば同じ数字になるとのことであった。どういう形でご納得いただいて収めたかの記憶は曖昧だが、鉄道マニア恐るべしと思ったことは覚えている。

子ども向けの展覧会では、仮設の会場ではあるが、出来る限り臨場感を演出して、子どもたちにその世界にひたり楽しんでもらおうと企画をし会場づくりを行ってきた。そういった点で、『**鉄道展**』は本物の電車の効果などもあり、1日平均で3500人超えの集客があって成功といってよかった。しかし、仮設の会場で〝その世界にひたる〟も東京ディズニーランドの登場で限界が見えてきた。ディズニーランドの開業は83年4月、魅力のひとつはやはりリアルの世界を遮断した〝完璧な夢の舞台〟である。それを経験した子どもたちには、百貨店の仮設の空間ではもの足りなく感じるのは当然であろう。夢の仮想空間を、わずか1ヶ月程度の催し物会場に造りあげようとすれば、費用対効果で全く見合うものではなく、理由はそれだけではなかったが、小田急グランドギャラリーでの夏休みの大掛かりな子ども向け催事は、85年7月の『**ぼくとわたしの昆虫記**』が最後となった。

◉ミイラの展示——栄光のインカ帝国展

2019年、国立科学博物館で『**特別展ミイラ　永遠の命を求めて**』が開催され、インカ、古代エジプトをはじめとする世界各地からの42体のミイラが展観され、40万人を超える入場者で大変な盛況であったという。展覧会の解説には、「ミイラには多くの人々を惹きつける力があり」とあるが、まさにその通りで、私の経験でも古代文明の展覧会でミイラが展示されていると、まちがいなく他の展示品よりもそこには人だかりがあった。

戦後日本でミイラが話題となった最初は、1950年3月に実施された中尊寺の藤原氏遺骸の学術調査であろう。これについて国立博物館ニュースは、「中尊寺金色堂に安置されている藤原氏四代の遺骸、いわゆるミイラに就いては昨年来度々ジャーナリズムに採り上げられ、後には一般公開が要望されたりして多くの人々の関心を喚び起こした」［50年5月1日号］と記している。また、この調査団を主催した朝日新聞文化事業団は、『**中尊寺芸術写真展**』［日本橋三越／51年1月］を開催し、それを伝える社告では「学術調査団撮影「ミイラの天然色写真」」を特別出陳として告知〔朝日新聞51年1月12日朝刊〕している。

ひと目ミイラを見てみたいという人々の欲求には抗いがたいものがあるようで、当時の新聞は、「平泉中尊寺は、学術調査と吉川英治の〝新平家物語〟などのおかげもあり、東北本線のさびれた駅であった平泉に急行が停車するようになるは、旅館が次々増設されるはと大いに賑わうようになり、〝岩手は中尊寺ブーム、あるいはミイラ景気〟となっている。やってくる人の多くはミイラが目当てであるが、それは中尊寺金色堂に安置され見ることはできない。そこで村民の気のきいたのが、山形鶴岡からなんとか上人のミイラを調達して見せていた」〔朝日新聞52年1月9日朝刊・要旨〕と伝えている。

ミイラを見たいという欲求が、その実像をもっと知りたいという思いにつながっていくのは自然なことである。上記『特別展ミイラ』や、同じ国立科学博物館で2021年に開催された『**大英博物館ミイラ展**』では、ミイラをCTスキャンにかけてその内部にまで踏み込み、布にくるまれた外側からだけではわからないミイラの実像を解き明かそうとしている。

ミイラにスポットをあてた展覧会は、58年5月に読売新聞社の主催で新宿伊勢丹を会場に開催された『**古代アンデスの神秘を探る　インカ帝国文化展**』が戦後の最初であろう。

読売は、54年に発足した東京大学文化人類学教室のアンデス調査事業を後援していて、ペルー政府や現地の研究機関とも信頼関係を築き、この後もたびたびインカの展覧会を企画、主催しているが、この展覧会はその最初となるものであった。『インカ帝国文化展』は第一次調査団が出発する前に開催され、ペルー政府の特別許可によりインカ帝国の栄華を伝える考古、美術品150余点を始めとする600点に及ぶ資料が日本で初公開された。その中で「インカのミイラ埋葬方式を実物で示す」〔読売新聞58年4月16日朝刊〕として、ミイラ、開頭手術をした頭蓋骨、副葬品などが展観された。

この展覧会の会期中に会場の伊勢丹のホールで、ペルーのチャンカイ遺跡から発掘されたまま日本に持ち込まれた約1000年前のミイラの解剖儀式が行われた。これはペルーで行われている儀式を日本で初めて再現するものであった。これを伝える読売新聞記事のキャッチは「インカのミイラ解剖」［5月4日朝刊］と何とも刺激的であるが、三笠宮をはじめ、文部省、外務省、国立博物館など関係者400人を招いて、東大アンデス学術調査団の泉助教授などの執刀により進められた。表現は〝解剖〟であるが、実際は幾重にも巻かれた布を剝ぎ、ミイラが身に付けているマントやポンチョを取り除いて、屈身のミイラを取り出すところまでで、後は医学的な調査を続けるとともに、ミイラ本体は展覧会会場で一般に公開された。

71年の『**古代アンデス文明展**』［日本橋髙島屋／4月／朝日新聞社／協力：東京大学アンデス調査室］の時も、展覧会開催に先立って、国立科学博物館を会場に、東大文化人類学助教授らによるミイラの着衣を取り除く作業が公開で行われ、300人ほどの学生たちがつめかけた。この時の新聞記事は「ミイラ解体」という表現で［朝日新聞71年4月20日夕刊］、そのミイラは展覧会場に展示された。いずれもCTスキャンなどなかった時代、外側からだけではうかがい知ることのできないミイラの実像を何とか見てみようという気持ちの発露と思われる。

インカのミイラには、何かはかり知れない力があるのではと人に思わせるものがある。

小田急百貨店では、『**神秘と幻想の世界　インカ帝国の秘宝展**』［73年4月］、『**古代アンデスの生と死を探る　インカ文明とミイラ展**』［75年7月］（図4-1-3）、『**栄光のインカ帝国展**』［84年10月］の3回、いずれも読売新聞社の主催でインカの展覧会を開催している。私は84年の展覧会を担当したのだが、前2回の展覧会の時には、会期前後に突然亡くなった、病気になった、事故にあったという関係者が、一人二人ではなく何人もいたのだと聞かされていた。まあ偶然が重なったという程度で受け止めていたのだが、展示ケース製作のために、ペルーから運

4-1-3 『古代アンデスの生と死を探る　インカ文明とミイラ展』ポスター［小田急百貨店蔵］

ばれてきたばかりの出品物の寸法をとりに保管倉庫まで行った時のことである。当然その中にはミイラも含まれていて、間近にあの空ろな眼窩の顔と対面しながらメジャーをあて何体も採寸をした帰り道、熱もないのに急に頭がふらついて家に帰ってもその状態が続いた。これって祟りかと思ったが、翌朝には収まったのだから、祟りとしても軽かったのだろう。

　会期初日が近づいた時、上司から「ミイラの展示があるから、（店の氏神様である新宿の）熊野神社にお祓いをお願いして来るように」と申し付かった。インカの霊に日本の神様が太刀打ちできるのかと尋ねてみたら、日本の神様は八百万もいるのだからひとつぐらいは当たるというのが答えであった。展示がすべて整った初日のオープン前の会場に、主催の新聞社、百貨店ほか展覧会関係の会社の役員、担当者が集まって、神主から厳粛にお祓いを受けた。考えてみれば、展示品扱いをしているが数百年前には〝人〟であったのだから、そのぐらいの敬意はあってしかるべきと納得した次第である。聞けば、『弥生人展』や『日本列島展』の頃から、人体を展示する時には必ず行っていたとのことであった。

展覧会は何事もなく終了したが、後日、巡回のためにミイラを輸送していたトラックのフロントガラスが高速走行中に突然ひび割れし、危うく事故という話を運送会社から聞いた。

◉伝統芸能の展覧会――狂言展

伝統芸能の展覧会は百貨店でもそれほど開催実績があるわけではないのだが、少ない中では歌舞伎はよく取り上げられていた。ただそのほとんどは、当代や先代の團十郎、菊五郎など人気役者の舞台や人物像にフォーカスするもので、歌舞伎そのものの展覧会というわけではない。ある意味当然のことで、歌舞伎を理解し楽しむならば舞台を観ればいいわけで、それを展覧会にしようとすれば別の切り口でということになる。開催の数は少ないながら、能の展覧会も同様で、展示の中心となる能面、能装束は見応えがあり優れた美術工芸品の展覧会となるが、演じる方の能から考えると、それらは能とは密接不離とはいえ、それだけではやはり能の理解にはたどりつかない。そうした限界を解消しようと試みたのが、**『和泉流宗家秘蔵による　狂言展と実演』**［86年4月／読売新聞社］であった。

戦後、都内百貨店で開催されてきた日本の伝統芸能の展覧会の中で、狂言を取り上げたのはこれが初めてといってよい。狂言方として長い伝統を誇る和泉流宗家に伝わる装束などの秘蔵の品々を展観するだけではなく、より理解を深めてもらうために実演も併催することにし、会場内に能舞台を設けて、会期中毎日、宗家和泉元秀による実演を行った。当時、狂言も含めた能楽は一部ではブームとも言われていたが、まだまだ敷居は高いものであった。百貨店に置かれた特設舞台で、宗家自身が毎日連続して出演するのは異例中の異例と言われたが、百貨店という場所がら、これまで狂言にあまり興味を持たなかった人にも見ていただけるのではという和泉元秀自身の理解があり実現した。

これより前にテレビで流れていた、狂言師が〝くっさめ〟とやる風邪薬コンタックのCMを覚えておられる方もあると思う。その狂言師が和泉元秀であった。〝くっさめ〟とは狂言の演目「髭櫓」などで発せられるくしゃみの擬音である。今でこそ、狂言師が映画、ドラマやCMに出演するのは珍しいことではないが、その頃は、「家元がCMに出るなんて」と内輪では冷たい視線もあったそうである。しかし、このCMがヒットしてお茶の間で〝くっさめ〟が馴染まれたことで、元秀が狂言の学校公演に行ったとき、子どもたちにとって狂言がより身近に感じられるきっかけにもなったとのことである。

その学校公演であるが、当時の狂言界では、国語の教科書にも掲載されている狂言を、実際に子どもたちに見せようという動きを積極的にとっていた。和泉元秀も狂言普及の基底をなす活動としてこれに熱心に取組み、なるべく能舞台に近い条件を整えて全国で学校巡演を行っていた。これがあったので、百貨店内に特設の能舞台を設置することができたわけである。学校巡演も、CM出演も、百貨店での公演も、とにかく狂言を多くの人に知ってもらい、面白さを理解してもらいたいという元秀の熱意の現れで、宗家として伝統芸能を守っていこうというその姿勢には、やはり頭がさがる思いであった。こうした形で、小田急百貨店の展覧会も、多少なりとも伝統芸能の振興に寄与することが出来たのではないかと思っている。

会期中の日曜日の公演には、まだ小学生であったご子息の元彌も出演していた。また、企画打合わせの時から展覧会終了までの間にみせた、節子夫人の和泉流宗家への愛、家元愛には圧倒される思いであった。

で開催となったと記憶している。

◉忘れられた名工――横浜真葛焼　宮川香山展

『戦火に消えた幻の名窯　横浜真葛焼　宮川香山展』［86年8月／読売新聞社］は、コレクターからの話がきっかけで開催となったと記憶している。

真葛焼は、今でこそ横浜に「宮川香山　眞葛ミュージアム」があって知名度もあるが、当時は世間的にはほとんど知られていなかったと思われるし、私も知らなかった。

初代宮川香山は、京都の真葛ヶ原で茶碗を中心とする焼物を業とする家に生まれた。1870（明治3）年に輸出用陶器を製造するために横浜に移り、翌年そこで開窯した。「陶工はどんな焼き物でもつくれなければいけない」という信念のもと、色絵・染付・釉薬・象嵌など様々な技法を駆使しながら、乾山風、伊賀、古瀬戸、青磁などバラエティ豊かな作風を示し、人の身長を超える大花瓶から、香合・置物の小品までを制作した。

1873年にウイーン万国博覧会に出品して名誉金牌受賞、それを皮切りに国内外の博覧会、展覧会で受賞を重ね、帝室技芸員にも任命されるなど高い評価を得た。1916年の初代没後、二代、三代と続いて〝横浜に真葛焼あり〟と広く親しまれていたが、45年の横浜大空襲で窯場を焼失、三代当主と十数名の陶工たちも戦災死し、結局再興されないままに歴史に埋もれてしまった。

横浜で焼物という意外性とともに、優れた作品を遺しながらも悲運の断絶で今は忘れられてしまったという夭折の画家を取り上げようかという心情にも通じ、これは面白いということで開催となった。

企画内容と出品作品を相談するために神奈川県立博物館を訪れたときも、「県博としても取り上げたいと考えているのだが、なかなか具体化に至らず、展覧会をやってくれるのはありがたい」と言われ、県博の指導で180点の名品が集まりこの展覧会はいけると思った。しかし、期待がはずれるとガッカリ度も高くなる。1日平均入場者900人程度は、「もっと入ってもいいのではないか、いい展覧会なのに」と残念な気持ちであった。

展覧会終了後、結構長い期間にわたって内容の問合せがあり、売れ残った図録もいつのまにかなくなっていた。数年後、ある大学の先生から、「あれはいい展覧会だった」と褒められた時は、少々複雑な思いであった。

２００１年には横浜美術館で『世界を魅了したマクズ・ウェア　真葛　宮川香山展』があり、今ではWeb上で作品が〝超絶技巧〟と評されているのをみると、開催して良かったと思う。

◉創作の場の再現——光太郎　智恵子の世界展

「展覧会の主役はお客様と展示品」とは、私がグランドギャラリーにいた頃の上司の教えであるが、「お客様」はひとまず置き、「展示品」の基本はもちろん作品、資料である。ただ、それだけでは内容がわかりにくいとかいう場合は、理解の助けのためにジオラマやレプリカなどのつくり物も多用したことは、第2章で述べた通りである。そして、そのような科学・考古系のときばかりでなく、美術や歴史の展覧会のときも、創作のバックボーンや人物の魅力をより深く知ってもらうために、実際にその人物が使っていた部屋やアトリエなどを会場に再現することがあった。

そうした事例は、文化大催物場の時代からいくつもあるが、私が担当した中では、有元利夫［86年5月］の個性的なアトリエを再現したことが印象に残っている。そして、もうひとつが『**光太郎　智恵子の世界展**』［87年10月／読売新聞社］で、それを紹介していきたい。

企画の出所は覚えていないが私が担当となり、『斎藤茂吉展』の時と同様、監修の先生のもとでの展示構成や図録制作の打合わせ、出品交渉や集荷などかなり忙しい思いをした記憶がある。その最初の資料調査で花巻の「高村光太郎記念館」を訪れ、高村山荘を見せてもらった時である。同行していた上司が、この部屋を展覧会場に再現しようと言い出した。

わずか7・5坪の建物で、戦時中花巻に疎開していた光太郎が、敗戦直後移り住み、戦意高揚の詩を作っていたことへの反省から晩年の7年間ここで独居していたという山荘である。部屋は板の間、自在鉤がある囲炉裏がきられ、壁は土壁でむき出しの棚に本や食器が置かれているという極めて粗末な空間で、ここで7年間も一人で何を考えて暮らしていたのだろうと思わせるものがあった。確かにこれがあれば会場演出としても効果的であるし、生涯の最終ページを物語るものとして光太郎の立体的な理解にもつながると思われ、再現をすることになった。実際の建込みのための調査は会場施工の会社が行い、その図面があがった時、今度は「これを舞台にして、『智恵子抄』の朗読を誰かにやってもらったら面白い」と、また上司が言い出した。まったく、すぐに思い付きを言う人だとおもいつつ、「誰にやってもらいますか?」と尋ねると、「加藤剛なんかいいな。でも高いだろうな。別に当てはない、探せ」であった。「ずっと安いギャラで、身内が言うのもなんですが、声の良さは加藤剛に負けない役者がいますがいかがですか」ということで、私の兄の志賀廣太郎に出演願うことになった。兄もまだ時間に余裕があるころだったので、会期中、ほぼ毎日来てもらい、朗読を聞いていたお客様からは、「あの人どこの人?」と興味を持ってもらえるくらいの好評は博した。

来店したお客様に、お買い物のほかにどのように楽しんでいただけるかを考えるのは、百貨店人の性であるが、展覧会でもプラスアルファで楽しんでいただくための演出も百貨店として大事なことであった。

その後も、**『「人間良寛　その生涯と芸術」展』**〔88年9月/朝日新聞社〕、**『山頭火の世界展』**〔90年10月/読売新聞社〕、**『ターシャ・テューダーの世界展』**〔2000年7月/NHKサービスセンター、小田急美術館〕など、その人物像をより深く理解していただくために、会場内に生活、創作の場を再現した。

2　百貨店の美術館

ここで、80年代から90年代にかけての、都心および近郊における美術展等の開催状況とそれを展示する展覧会場についてふれておきたい。

80年代になると、70年代までと比較して展覧会の開催本数、中でも美術展の数は格段に増えた。最大の要因は展覧会場の急増であるが、それとともにバブル期の好景気を背景にした商環境の盛り上がりに呼応して、各商業施設のイベント志向もあった。

展覧会場については、百貨店では、西武が池袋に続いて船橋西武にも美術館を開設し（78年）、続いて新宿伊勢丹（79年）、横浜そごう（85年）に美術館が新設された。84年に新たに開業した有楽町西武、同阪急、銀座プランタンは美術展を積極的に行い、池袋西武は西武美術館とは別に、8階に美術展専用のアート・フォーラムを設けた。既存の有楽町そごう、玉川髙島屋、横浜髙島屋、吉祥寺東急などこれまであまり展覧会を開催していなかった百貨店でも、美術展開催の機会が増加していった。90年代には、新宿に三越美術館（91年）、池袋に東武美術館（92年）がオープンした。また、東京駅の大丸では、従来は物販でも使用していた12階にある大丸グランドホールを拡張、整備し、90年に展覧会専用施設として大丸ミュージアムを新設した

さらにＪＲ東日本のステーションギャラリー（東京駅・88年）、東急グループのＢｕｎｋａｍｕｒａザ・ミュージアム（渋谷・89年）などの美術展の専用施設もつくられた。

そして、美術展の増加に拍車をかけたのが公立美術館の新設ラッシュであった。

東京都では、ほぼ美術団体展専用の会場となっていた東京都美術館に新館がオープンし、ようやく企画展を常時開催できるようになったのが75年、政府の迎賓館として使用されていた建物を美術館に模様替えした東京都庭園美術館の開館が83年であった。区部では、板橋区立美術館（79年）、渋谷区立松濤美術館（81年）、練馬区立美術館（85年）、世田谷美術館（86年）、目黒区美術館（87年）、O美術館（品川区・87年）、市部では青梅市立美術館（84年）、町田市立国際版画美術館（87年）、近県では埼玉県立近代美術館（82年）、川崎市市民ミュージアム（88年）、横浜美術館（89年）と次々に新しい美術館施設が開館した。90年代になっても、東京都写真美術館（90年一時施設、95年総合開館）、東京都現代美術館（95年）、そして、平塚市（91年）、三鷹市（93年）、佐倉市（94年）、千葉市（95年）の各市立美術館が続いた。

美術の大衆化に伴う旺盛な美術展ニーズに対して、圧倒的に不足していた公的施設が急増するとともに民間施設の増加、整備もあり、80年代も半ばになると、都内および近郊で開催される美術展は70年代までと比較しても大幅に増え、常時、同時期に10本以上は開催されるようになった。文化の振興という側面からは歓迎すべき状況ではあったが、一方では美術展の供給過多ともいえる状態となり、競合が増えたことによる一展覧会当たりの入場者減、出品料や保険料の値上がりなどのマイナスの現象も現れるようになった。

ふたたび百貨店の美術館に話を戻す。

85年、日本最大の売場面積をもって新たに開店した横浜そごうに、そごう美術館が開館した。横浜そごうは、横浜駅東口の造船ドッグ跡地18万㎡を埋め立て、昼間人口19万人の新都市を造る横浜市の計画「みなとみらい21」の中で重要な位置を占め、大型商業施設としての集客とともに街づくりへの貢献も期待されていた。こうしたことから横浜そごうでは、屋上を植栽のある広場として開放するとともに、9階は行政窓口を含む市民向けのフロアとし、さらに6階の美術館も財団法人として百貨店の経営とは切り離して博物館法に基づく施設とするなど、公共的な側面も意識して設置された。

伊勢丹美術館で視野に入れられていた〝地域〟は、そごう美術館ではさらに一歩進めて、単に自店および地域への集客だけではなく、地域のなかにあって街づくりの一端も担う公益的な文化施設という位置づけであった。［朝日新聞85年10月14日朝刊］

ここからさらに地域の活性化にフォーカスし、展覧会事業を百貨店の店内から切り離して、新たにつくる複合文化施設に吸収したのが東急グループであった。

渋谷パルコの開業以来、渋谷駅に降り立つ買物客の70％以上は公園通りに向うとまでいわれ、駅から東急本店に向う本店通りは大きく後れをとった。そのため東急はパルコに対抗して、79年に東横店と本店との中間にファッションビル１０９を開業し、本店通りの活性化をねらったが、なかなか本店までの客の流れには結びつかなかった。そこで、東急は新たに本店通りの活性化とともに、文化による渋谷の新たな街づくりを掲げ、東急文化村がその拠点として誕生した。89年9月に東急本店に隣接してオープンした東急文化村は、音楽ホール、演劇ホール、美術館、映画館の4つの文化施設を核として、アート・ギャラリー、スタジオ、ショップ、飲食店などの付帯施設で構成され、社内では百貨店の横に文化村があるのではなく、文化村の中に百貨店があるという意識が求められていた。東急の考え方は、一過性の文化イベントで短期的な集客をねらうのではなく、質の高い文化を継続して発信していくことで〝文化の街〟をつくりあげ、美術展は百貨店のためだけに行うのではなく、他の芸術活動とともに街づくりに貢献することが期待されていた。

70年代まで、百貨店は美術館の役割の一つである〝展示普及〟の会場機能を十分に担っていたのだが、公立・私立の新しい美術館が次々に誕生してくると、仮設会場の限界も露わになっていった。温湿度管理や消火設備など施設面での問題もあったが、何よりも芸術を鑑賞するのにふさわしい非日常的な空間も求められるようになっていった。

91年10月、新宿三越は新たに南館をオープンし、そこに文化事業を集客装置と位置付け三越美術館を開設した。美術館は「新宿らしいアバンギャルドふうな切り口によるアート空間」を目指して8階フロアのほとんどを使い、展示面積は1000㎡超え、天井高も約5mとゆったりとした空間をもった本格的な造りで、「一般の美術館に負けない施設」であった。〔〈三越、新宿に美術館、つづいてパリに美術進出〉『月刊美術』1991年10月号〕

翌年6月、大々的な増改築を経て、約8万3000㎡という日本最大の売場面積をもって新装オープンした池袋東武に、東武美術館が開館した。本館に隣接して百貨店の一部ともなるメトロポリタンプラザの1階から3階までを使用し、総面積は2200㎡、収蔵品と収蔵庫ももつ大型の本格的な美術館であった。百貨店の売場とは切り離して出入り口も別であり、百貨店に隣接する独立の美術館という構えで、東武百貨店と東武鉄道による共同の新会社〝東武美術館〟が運営にあたった。「百貨店はひとつの街として完成されていなければならない」〔『危機のデパート業界』鈴木千尋〕という東武百貨店が掲げるコンセプトのもと、「本物の芸術・文化を提供し、地域社会に貢献する本格派の美術館」〔〈企業の美術館活動を訪ねて〉室伏哲郎『実業の日本』1992年11月号〕を目指すとしていた。

東京都外の百貨店であるが、横浜そごうが成功した後、そごうは多店舗化、大規模化をさらに推し進め、89年10月に奈良そごうを新規開業、93年4月には従来の千葉そごうを大増床してオープンし、それぞれに奈良そごう美術館、千葉そごう美術館を開設した。いずれも横浜と同様に、百貨店の経営とは切り離して財団法人による運営とした。また、91年3月、名古屋松坂屋は南館を増築し、そこに本格的な美術館となる松坂屋美術館を置いた。

小田急百貨店では、91～92年で計画された本館上層階（スカイタウン）のリニューアルの一環として小田急グランドギャラリーを改装し、92年4月、小田急美術館と改称してオープンした。改装の内容は、作品借用にあたって年々厳しく問われるようになってきた展示環境の改善のために、会場の独立性をさらに高めて消火設備を博物館仕様としたほか内外装の整備であった。

こうした百貨店業界の動きに対して、「百貨店、美術館で集客競う」〔日経新聞91年11月14日夕刊〕、「デパート美術館　物豊かな時代、文化で客集め」〔朝日新聞92年5月2日夕刊〕といった報道がなされるようになった。

堤清二は、池袋の店をひとつの街とみたて、街にあるべきインフラという位置づけで〝街の美術館〟つまり西武美術館を開館させた。その後、78年オープンした船橋西武美術館は池袋と同じく「時代の精神・感性および表現の場」であるとしたが、それとともに「市民の創造の拠点」として、船橋という〝街〟への目配りをみせている。

新宿伊勢丹は、自店とともに東口地区への集客という〝地域〟も意識し、そのための文化施設として美術館を設けた。以後、横浜そごう、名古屋松坂屋、池袋東武などが、〝街づくり〟に貢献していくために、地域社会で求められる文化を常時提供していく場として美術館を設置していった。

しかし、街づくりにせよ、集客にせよ、そのための百貨店の文化施設がなぜ〝美術館〟となるのだろうか。文化事業の強化のために本格的な美術館を開設する、あるいは新宿三越のように〝美術館型百貨店〟をつくるというその施策の基底には、第3章で指摘したように、〝西武美術館の成功〟に倣って〝文化戦略＝美術館→集客・イメージ向上→売上拡大〟という思考回路があったように思われる。しかし、そこでも述べたように西武百貨店の文化戦略の成功は、西武流通グループの総合力がもたらしたもので、西武美術館はその一部に過ぎなかったのだが、象徴として目立ったことは確かで、それがまた、〝文化施設＝本格的な美術館〟となったと推測される。

日本の百貨店が行ってきた文化的な催し物の〝文化〟は、その発祥以来、そして戦後になるとさらに融通無碍といってもよく、多様で幅広いものであった。そこに〝美術〟という枠をはめ、しかも最大公約数的に支持される内容で、大規模に、本格的な展覧会を各店横並びで続けていこうとしたことには、相当な無理があったと言わざるをえない。

西武美術館以降の百貨店美術館はすべて新築か増改築した店舗に新設されていたが、小田急美術館は既存の施設を改装しての美術館であった。67年に百貨店で初めて文化的な催し物の専用施設を開設し、以来20数年にわたって文化の発信を続けてきた経験からすると、いまさら〝美術館〟という施設で客を集めると報道されても、どこかピントがずれているという感があった。

小田急グランドギャラリーの会場名称を改装を機に美術館としたのは、〝ギャラリー〟よりも〝美術館〟の方が、出品作品借用の際、所蔵家に対して通りがいいとか、〝美術館〟とすれば、主催者として対外的に館名を表示でき、図録、ポスターなどにも記載できる[1]といった理由もあったが、次のような経緯もあった。

当時、朝日新聞では毎週木曜日夕刊の〈くらしの情報マリオン〉の面で、首都圏で開催中の美術展情報を掲載していた。そこに小田急グランドギャラリーが一向に採り上げられないので、その理由を問合せたところ、答えは、掲載は美術館の展覧会に限るとのことだった。伊勢丹やそごうといった百貨店の展覧会は掲載され、小田急も伊勢丹やそごうと同じことをやり、朝日主催の美術展も行っているのにおかしいではないかと聞くと、掲載基準は〝美術館〟の展覧会という答えであった。実質を見ずに、入れ物の名称だけで判断するとは、新聞社の割には情けない理由であるが、そのようなことがあるのであれば会場名を美術館とした方がよいということになった。

いずれにしても他律的な理由であるが、〝美術館〟と改称してこれまでとは違う方向でやっていこうというわけではなく、見応えのある内容で、百貨店としての質を保ち、お客様に喜んでいただけるように展覧会を行っていくというスタンスは変わるものではなかった。

（1）西武美術館の開館までは、百貨店を会場とする展覧会では、百貨店自身が主催に名を連ねることはほとんどなかった。それは新聞社が企画した展覧会はもちろんだが、百貨店が企画をして新聞社に名義主催を依頼した場合も同様である。一方、国公立の美術館の場合は、新聞社からの持ち込み企画で会場を提供しているだけの場合でも、館として主催に名を連ねるのが通例である。不思議な慣習であるが、百貨店も〝美術館〟となれば、主催者として名を連ねることができるようになった。

第5章

宴の終わり

1　少ない予算で

小田急グランドギャラリーが、特定の層のお客様には偏らず分野の幅を広げて様々な展覧会を開催してきたことは、前章までに記してきた通りである。しかし、80年代後半には、子ども向けのエンターテインメント的な展覧会はほぼ行わないようになり、90年代には、『**山頭火の世界展**』〔90年10月／読売新聞社〕、『**超人　南方熊楠展**』〔91年7月／朝日新聞社〕、『**宮澤賢治の世界展**』〔95年7月／朝日新聞社〕、『**寺山修司展**』〔2000年8月〕、『**牧野富太郎と植物画展**』〔2001年3月／毎日新聞社〕など文学や科学で大きな功績をあげた人物にフォーカスした展覧会や、『**甦る正倉院宝物展**』〔96年1月／朝日新聞社〕、『**冷泉家展**』〔2000年1月／朝日新聞社〕といった歴史的に重要な文物を紹介する展覧会では好評を得て集客も果たしていたが、科学、考古、歴史などの博物館的な展覧会は減少し、全体としては美術系の展覧会の比率が高くなっていた。

美術展は、前述の80年代に続いて90年代に入っても、都内・近郊の美術館、百貨店において、様々なジャンル、テーマで常時数多く開催されているため、範囲があまりにも広くそこから目新しいトピックを抽出して傾向を論じるのはなかなか困難である。小田急美術館でもそれは同様で、やはり美術系の展覧会の内容はバラエティに富んでいた。その実績の中から『**シャガール展**』〔92年10月／東京新聞〕、『**小林古径展**』〔94年1月／朝日新聞社〕や『**エッシャー展**』〔96年10月／読売新聞社〕など、一般にも人気がある定番といってもよい展覧会を個々に取り上げて論じてみても、それほど意味のあることでもなかろう。そこでここでは、この時期の小田急の展覧会の特色を、企画に対する取組み姿勢から解き明かしていきたい。

80年代半ばに文化催事の予算が旧に復したとはいえ、上位の百貨店ほどの予算規模ではないというかその差はさらに開き、常時開催で展覧会を行っていくにあたって潤沢な予算と言い難いことは相変わらずであった。少ない予算でいかに展覧会個々の〝質〟を保持していくかは、従前から新聞社などから提案される企画の選択にあたっての重要なチェックポイントであった。80年代になって、都内・近郊各所での展覧会の開催本数が増加して、企画も提案の段階から各所に拡散していくようになると、良質な企画は、提案を待ってそれを選択しているだけではすまなくなった。先に紹介した『**有元利夫展**』や『**宮川香山展**』のように、以前からも小田急側で企画や提案を行ってはいたが、さらにその取組みを迫られるようになった。

百貨店業界が売上高のピークをつけたのが91年、小田急百貨店も同じく91年で、それ以降、売上げの下降とともに予算も減額されていった。少ない経費で良質な展覧会を続けていくためにも、人任せにしない小田急発の企画や提案はますます多くなり、また企画から開催に至るまでの関わりも深くなっていった。

例えば、『**知られざるインド更紗展**』〔96年8月／朝日新聞社〕である。

インドネシアに渡った18～20世紀初頭のインド更紗の裁断されていない完全品約80点を、テキスタイルやデザインに視点を置きながらインドの染織芸術の世界を紹介したものであるが、当初の企画から監修依頼、作品選定から全体の予算だて、巡回展の段取りまでのほとんどを小田急側で行って開催までこぎつけた。ここで小田急が巡回先の交渉を積極的に行っていたのは、実施する館が増えればそれだけ小田急の負担が減るためであった。

小田急発の企画や提案も、テーマの発案が小田急で後の具体化は主催者に依頼する場合から、『インド更紗展』のように手づくりでとことん関わるまで、そのあり方はケースバイケースであったが、実際にどのように企画に取り組んで小田急の特色としていったのかを紹介する。

◉絵本の展覧会

ひとつは93年以降、ほぼ毎年開催していた絵本の展覧会である。

戦後、絵本あるいは絵本作家の展覧会の開催本数はそれほど多くなく、都心の百貨店においては、出版文化国際交流会が**『国際児童図書展』**〔池袋三越／58年11月〕を最初として、その後何回か主催した世界の児童書を紹介する中で海外の絵本を展観した例や、ソ連の童画作家であるラチョフの作品100点による**『ラチョフ童画展』**〔池袋東武／69年1月／日ソ交流協会、後援：朝日新聞社〕、日本のものでは、日本児童出版美術家連盟[1]の主催による**『第1回童美連展』**〔75年10月／池袋東武〕（後に新宿京王に会場を移し5回まで続いた）があった。日本人の個人の展覧会としては、いわさきちひろの**『遺作原画展』**〔日本橋髙島屋／75年9月〕、**『安野光雅の世界　絵本原画展』**〔玉川髙島屋／79年8月：日本橋東急／80年4月〕などが早い例である。

このように絵本原画の展覧会は百貨店で時折開催されていたが、絵本の展覧会のエポックとなったのが、78年から西宮市大谷記念美術館で開催されるようになった『ボローニャ国際絵本原画展』で、公的な美術館が児童出版美術を新しい芸術分野として取り上げ、絵本の原画を展示するという先駆的な試みであった。

　イタリアのボローニャで毎年開催されている児童書専門の見本市「ボローニャ・チルドレンズ・ブックフェア」で76年から併催されるようになった絵本原画コンクールは、新人絵本イラストレーターの登竜門として世界各国から応募作品が集まり、この時の大谷美術館の展覧会は、応募22ヶ国の中からの入選作品、57作家、285点を展示するものであった。東京では、大谷美術館からの巡回で、82年7月に板橋区立美術館において毎日新聞社の主催で、**『ボローニャ'81国際絵本原画展』**が開催された。以後、実績のある海外の絵本原画作家の作品展なども併催しながら、ほぼ毎年、大谷、板橋両美術館で開催され現在まで続いている。そして、80年代以降、内外の作家の絵本原画展が百貨店でも盛んに開催されるようになったが、ここでは海外作品の展覧会を紹介する。

　83年には、アジアの画家を中心に世界各国の著名な絵本作家の作品を展観した**『世界の絵本原画展』**「池袋西武／6月／ユネスコ・アジア文化センター」（85年7月も開催）があった。

　86年には、東京で「子どもの本世界大会」がアジアで初めて開催されるのにあたって、国際アンデルセン賞の66年以降の受賞作家10人の原画127点などを展観する**『国際アンデルセン賞10人の世界　絵本と原画展』**「銀座松屋／85年7月／朝日新聞社ほか」、〈ピーター・ラビット〉の生みの親ビアトリクス・ポターと〈クマのプーさん〉の挿絵画家アーネスト・シェパードを紹介する**『「ピーター・ラビット」と「クマのプーさん」の世界』**「日本橋髙島屋／85年7月／国際芸術文化振興会」、〈はらぺこあおむし〉の**『エリック・カール絵本原画展』**「池袋西武／85年10月」、古典絵本・童話の宝庫であるカナダのオズボーン・コレクションから〈ガリバー〉、〈ちびくろサンボ〉、〈長靴をはいた猫〉などの名作や絵本200点を展観する**『世界の絵本・童話展』**「銀座松屋／86年8月、横浜そごう／87年2月／朝日新聞社ほか」などが開催された。

　翌年には、絵本を通じて自然破壊に警鐘をならし〈うさぎの島〉で著名なイエルク・ミュラーの描く**『「うつ**

りゆく街」展』〔87年3月／朝日新聞社ほか〕、フランスの絵本作家ジャンとロラン親子の『**フランス絵本の王様　ぞうのババール原画の世界**』〔87年7月／後援：朝日新聞社〕がいずれも船橋西武で開催され、その後も絵本の展覧会は折にふれて百貨店で開催されていた。

小田急百貨店では、過去においては『**おとぎの森を探検しよう　世界名作童話館**』〔72年7月／読売新聞社〕、『**没後100年記念　アンデルセン童話館**』〔76年4月／現代人形劇センター〕など、名作童話をパノラマや劇団ひとみ座による人形劇で紹介する展覧会はあったが、絵本の展覧会の実績はなかった。

93年に夏休み企画として、絵本の黄金時代と言われる19世紀後半のイギリスで、その一翼を担い、近代絵本の基礎を確立したとも言われるケイト・グリーナウェイの代表作〈窓の下で〉を始めとする絵本原画、初版本、水彩画など140点により、『**絵本の詩人　ケイト・グリーナウェイ展**』〔8月／朝日新聞社／協力：サザンミシシッピィ大学グラモントコレクション〕を開催した。企画は外部からの提案であったが、想定したファミリー層ばかりでなく幅広い女性層にも好評を得たこと、海外の美術展としては印象派などと比較してはるかに安いギャラで実施でき、子ども向けの展覧会ほど会場造作費はかからずと、多額の経費をかけずに上質な展覧会を開催できたことから、企画会社に対して、以降も小田急が会場となることを前提に同様の企画を依頼した。以後ほぼ年に1回のペースで、主に欧米の絵本の歴史に目を向けた次のような展覧会を、夏休み、ゴールデンウィークなどに開催するようになった。

- 『**アメリカ絵本の黄金時代をひらいた　ガァグ、バートン、エッツ展**』〔94年7月／小田急美術館／協力：ミネソタ州立大学図書館カーランコレクション〕
挿絵だけではなく物語も自身で創作した〈100まんびきのねこ〉（1928年）をはじめ〈なんにもないな

い〉など数々の名作で知られるワンダ・ガァグ、絵本で初めて人格をもった乗物を主人公にした〈いたずらきかんしゃちゅうちゅう〉（37年）や日本でもなじみ深い〈ちいさいおうち〉（42年）のバージニア・リー・バートン、今も多くの人に愛されロングセラーとなっている〈もりのなか〉（44年）、〈わたしとあそんで〉のマリー・ホール・エッツのアメリカを代表する3人の女性絵本作家の原画、絵本、資料。

•『希望と夢の絵本芸術　エズラ・ジャック・キーツ展』［95年5月／朝日新聞社／協力：サザンミシシッピィ大学グラモントコレクション］

1916年、ニューヨークのブルックリンの貧しい家に生まれ、雑誌の挿絵かきの後、62年に発表した独創的なコラージュの技法による絵本〈ゆきのひ〉が高い評価を得て、以後生涯を過ごしたブルックリンに生きる子どもの世界を描き出し、83年に没したキーツの原画、資料140余点。

•『コールデコット賞に輝いた　アメリカ黄金時代の絵本作家たち展』［96年4月／小田急美術館、朝日新聞社］

コールデコットは、ケイト・グリーナウェイと並んでヴィクトリア朝時代のイギリスを代表する絵本作家で、アメリカのフロリダで没したことから、アメリカの絵本賞の名となった。毎年アメリカで最も優れた作品を描いた絵本画家に贈られ、アメリカで最も権威のある絵本の賞である。アメリカ絵本の第二次黄金時代と言われている40年代から60年代にかけて活躍し、コールデコット賞を受賞した〈かもさんおとおり〉のロバート・マックロスキー、〈木はいいなあ〉のマーク・シーモント、〈三びきのやぎのがらがらどん〉のマーシャ・ブラウン、〈にぐるまひいて〉のバーバラ・クーニーの4人の絵本作家に、コールデコットを加え、絵本原画約200点と資料。

・『ムーミンと白夜の国の子どもたち　北欧の絵本三人展』［98年4月／小田急美術館、朝日新聞社］

〈ムーミン〉の生みの親であるフィンランドのトーベ・ヤンソン、19世紀末から20世紀にかけて活躍し、〈王子たちの花文字〉などを描いたスウェーデンのオッティリア・アーデルボリ、共同作業で絵本を描いたスイス生まれの夫エドガーとノルウェー生まれの妻イングリのドーレア夫妻にスポットを当て、絵本原画など約200点。

・『絵本の100年展』［99年4月／小田急美術館、朝日新聞社］

〈クマのプーさん〉、〈ピーター・ラビット〉、〈ババール〉など、時も国も超えて愛読される名作を生み出した、20世紀を代表する世界の絵本作家52人の原画、初版本、ポスターなど約300点。

・『日本の絵本100年展』［2000年4月／小田急美術館、朝日新聞出版局］

明治時代の『お伽画帖』や大正、昭和にかけての『子供之友』『コドモノクニ』『キンダーブック』など、代表的な絵本のほか、これらの絵本で活躍した杉浦非水、竹久夢二、初山滋ほか現代作家30人の作品も紹介。

・『自然とともに生きる絵本作家　ターシャ・テューダーの世界展』［2000年7月／小田急美術館、NHKサービスセンター］

80冊を超える絵本、挿し絵を発表して多くの人に愛されているだけでなく、18世紀の農家を模した家に住みながらガーデニングを楽しみ、昔ながらのシンプルな生活を続け、ガーデニング愛好家のあこがれの存在でもある、ターシャ・テューダーの絵本〈コーギービルの村祭り〉などの原画やスケッチ、愛用の生活道具、ガーデニングの写真など。

これらの企画は小田急発というわけではないが、こうした形で小田急側からシリーズ的な展開を提案する場合もあった。また、絵本の展覧会ではないが、スヌーピー誕生50周年を迎え、国内で初めての『ピーナッツ』の原画展示のほか、シュルツの作品や遺品を展観する**『スヌーピーとチャーリー・ブラウンの世界　チャールズ・M・シュルツ原画展』**〔2000年12月／小田急美術館、朝日新聞社〕が、朝日の企画により開催された。

◉百貨店らしくない美術展

この時期におけるもうひとつの特色となったのは、実力はあるが一般にはあまりなじみがなく、集客という面から判断すればほぼ百貨店では取り上げないであろうという美術家の展覧会を、幅広い顧客層を対象にしたある意味オーソドックスな展覧会の間に潜り込ませるように、小田急発の企画も含めて時折開催していたことである。そのうちのいくつかを紹介する。

- **『牧野邦夫展』**〔90年5月／朝日新聞社〕

牧野は第3章で紹介した71年の『現代の幻想絵画展』にも出品しているが、画家としては画壇の潮流にも背を向け、ひたすら自身の美の世界を追求して孤高の画家とよばれ、86年に61歳で亡くなった牧野の初の遺作展。

- **『小貫政之助展』**〔92年2月／実行委員会〕

自由美術家協会の会員であったこともあるが、画廊の個展やグループ展での発表が多く、美術の専門家たちからの評価は高かったが、一般にはあまり知られずに、やはり孤高の画家とよばれながら、88年に63歳で亡くなった小貫の回顧展。

・『ベン・ニコルソン展』［92年9月／小田急美術館、ベン・ニコルソン展実行委員会］

ヘンリー・ムーアらとともにイギリスに本格的な抽象美術の土壌を築き、20世紀のイギリスの抽象絵画を代表するベン・ニコルソンの初期から晩年までの油彩、ドローイング、版画など110余点による回顧展。

・『小山田二郎展』［94年2月／朝日新聞社］

小山田も『現代の幻想絵画展』に出品していて、人間存在の根底にせまる特異な心象風景を描き、早くから高い評価を得ていながらもなかなか世にでることはなく、91年77歳で亡くなった小山田の初期から晩年までの130点。（図5-1-1）

・『「浜田知明の全容」展』［96年1月／朝日新聞社、小田急美術館］

戦地での実際の体験による〈初年兵哀歌シリーズ〉など、戦争の不条理や凄惨な光景を版画で表現し、国際的にも評価の高い浜田の初期から78歳の最近作までの220点による回顧展。

・『まなざし――ラインハルト・サビエ展』［99年6月］

56年ノルウェーに生まれ、独学ながら80年代後半から迫真のリアリズムの特異な肖像画で美術界の注目を集める。日本では94年に初めて紹介され、以後熱烈な支持者を得るが、まだ広く知られる存在ではなかったサビエの、初期から新作までの57点による初めての回顧展。展覧会は主要新聞各紙のすべてが美術評で取り上げるほどの反

5-1-1　『小山田二郎展』ポスター［小田急百貨店蔵］

響があった。

・『清宮質文展』［2000年2月／小田急美術館、NHKサービスセンター］

版画による造形性を追求し、独自の静謐な世界を表現して高く評価され、91年に73歳で亡くなった清宮の回顧展。

・『「金山康喜　青のリリシズム」展』［2000年9月／小田急美術館、朝日新聞社］

26年に大阪に生まれ、戦後、猪熊弦一郎の研究室で絵画を学んで、51年に渡仏。パリで画家として活動し、作品はフランス政府に買い上げられる。58年に帰国し、翌年33歳で早逝した。青をベースとした独創的な表現で定評があったが、没後しばらくは忘れられた存在となり、90年代になって再評価の動きが出てきた。

これらは広く知られてはいないが、美術の世界では注目すべき画家の業績の全貌を見せ、改めてその評価を世に問いかけようという展覧会で、70年代に小田急グランドギャラリーで行われていた美術展に通じるものがある。しかし、70年代との違いは、ひとつの方向性に即して外から持ち込まれる企画をチョイスするのではなく、これらの美術展は、小田急側からかなり意図的にかつ能動的に新聞社等に働きかけて実現していた点である。

ここで〝意図的に〟とした意味は、知り合いの美術愛好家からの強力な推しで知ったり、あるいはたまたま自分で目にしたといったところから触発され、広く一般には知られていないし自分も知らないその画家の画業の全貌を見てみたいという、小田急の担当者の思いから出発していたことによる。だが、それは担当者の独善で行っていたわけではなく、人々に見てもらう価値があるという判断のもとで、小田急側から関係者に話を持ちかけ、巡回先を確保し、そして新聞社をのせていくという、その作家に対する関係者の共感を得ながら企画を進めていた。

百貨店では取り上げにくいが美術の専門家たちからは評価されている作家の展覧会であるので、企画を提案する巡回先のほとんどは公立美術館となるが、公立美術館の側からすると、自館で取り上げたい作家を、百貨店が展覧会として仕立て上げ、さらにそれなりに経費負担してくれた上での話の持ちかけであったので、ある意味ありがたい働きかけでもあった。

一般にはなじみが薄いので、当然のことながら集客面で大きな期待はできないわけだが、それでも小田急百貨店には、担当者の思い入れを許容しつつ、展覧会として開催する意義を認めるだけの懐の深さがあったというべきであろう。

私が小田急百貨店から川崎市市民ミュージアムに転職したのは2006年のことで、その早々、就任挨拶のために各新聞社の美術記者を訪問した。その時は小田急美術館が閉館して5年たっていたのだが、私が小田急百貨店にいたことを言うと、記者それぞれ異口同音に、その担当者の名前を口にし、あのようなむずかしい作家の展覧会を、よく企画しいくつも開催できたものだという主旨で、感心し、認める言葉が続いた。その後も、美術の関係者たちから小田急美術館について同様の評価を聞くことがあった。

90年代の小田急発の企画や提案による展覧会はこれがすべてではなく、小田急側のアイディアで始まったもの、あるいは『知られざるインド更紗展』のような手づくり企画は、ほかにいくつもあった。こうしたやり方で、お金をかけずに質の高い展覧会の実現を図っていた。

2 百貨店美術館の閉館

全国計でピークをつけた91年以降、百貨店業界の売上高はバブルの崩壊とともに下降線をたどる一方となり、構造改革、企業体質の改善、原点回帰といった言葉が業界でとびかい、経営陣の交代、リストラ、経費削減の嵐が百貨店各社を襲った。

小田急百貨店も例外ではなく、売上、営業利益の減少とともに赤字に陥り、抜本的な経営改革と営業の再編が求められた。その結果、ハルクの2階半分と3〜6階にビックカメラを導入することが決定された。そこで、ハルクにあった紳士服・インテリアの売場を本館に移すために、本館11階の小田急美術館を閉館・改装してそこに9階にあった物販用の催事場を移動し、あいた9階を使って順次玉突きで売場構成を再編することになった。

美術館の閉館については、社内的には特段の議論もなく淡々と進み、67年の文化大催物場開設以来の本館11階での〝文化的な催し物〟は、34年を経て2001年10月に『岡義実展』をもって実質的にその幕を閉じた。

当時、私は館長をしていたのでメディアの取材対応をした。百貨店業界の苦境の中で、百貨店の美術館が次々に閉館する状況であったためか、その内のひとつの事例で特別なことでもないというのがメディアの反応であった。ただそこで小田急百貨店にマイナスイメージをもたれないようにするために、新たな催事スペースでは、不定期にではあるが展覧会も引き続き行う考えで、閉館ではなくしばらくの間の休館と言い張るのもなかなか疲れるものであった。

都内では、小田急美術館と前後して、セゾン（旧西武）美術館が99年2月、三越美術館が99年8月、東武美術館が01年3月、伊勢丹美術館が02年3月、近郊では船橋西武美術館が96年8月、千葉そごう美術館が01年4月と、百貨店の美術館が次々閉館した。百貨店業界全体が売上不振に陥って、いずれの店も対前年でマイナスが続く中、展覧会はかける経費の割には直接的な果実が少ないととらえられ、また駅前一等地の場所を利益を生まない事業で固定化してしまう〝美術館〟で使うのではなく、賃貸であっても稼ぐ場所に転換していこうという各店の経営判断でこの連鎖が生じたと考えられる。

それに対して、〝美術館〟という名称は使っていなかったが、文化的な催し物の専用会場である〝大丸ミュージアム〟を、東京だけではなく、梅田、京都、神戸、心斎橋の各店で存続させていた大丸が、いち早く業績の低迷を抜け出して、00年代になって業界の中でトップクラスの利益率をあげ、上々の営業成績を収めているのを見ると、営業成績と催し物と直接の関連はないと思いつつも、当事者としては少々複雑な思いであった。

東武美術館の閉館について、「企業メセナの限界」〔朝日新聞01年11月15日朝刊〕といった報道や、奈良そごうが閉館したことから敷衍して、百貨店美術館の閉館について「日本の企業と社会貢献のあり方も問われる」〔〈奈良そごう美術館の軌跡〉服部敦子〕といった指摘など、営業不振になれば簡単に閉館してしまうような百貨店の文化に対する取組みの脆弱性を問題にする言説もある。確かに美術館閉館の連鎖は、各百貨店の売上・利益減少に起因する経営の判断であることはまちがいない。しかし、百貨店が文化的な催し物を行い、その延長線上で美術館を開設していたのは、はたしてメセナとか社会貢献が目的であったのだろうか。

奈良そごう美術館の法人設立の趣意書には、目的として「奈良県民の文化的欲求に応じる為」を挙げている。しかしながら、そごう内部の認識としては、そごうグループのイメージ戦略に則り、美術館は百貨店の質を代表する施設と位置付けられ、地域の顧客層に相応な展覧会を提供して「動員と固定化を目指す機能」を求められていた〔前掲〈奈良そごう美術館の軌跡〉〕。また、伊勢丹美術館、三越美術館も設立にあたって集客を掲げ、やはり営業上の実利が主なねらいであった。

この点について、「(百貨店は)展覧会によって、地域振興や街づくりへの貢献を図ることで企業ブランドの価値を高めながら、新規顧客の吸引、顧客の固定化を図り」「展覧会は企業としてのメセナとかの構えたことではなく、通常の営業活動に組み込まれた事業のひとつであり、営業戦略の一環であるからこそ営業成績がふるわなくなれば見直しの対象となる」と前著でも指摘した。

展覧会によって世界の優れた文化を紹介し、あるいは世の中に知られていない創作活動を掘り起こしていくことや、展覧会の企画費を負担することによって研究の助成や文化財の保護にお金がまわっていくことなどは、文化振興、資金援助といった点で、文化支援と言えるだろう。しかし、それは百貨店が展覧会を開くことの目的ではなく、結果としてもたらされるものであった。

小田急百貨店の文化催事では、展覧会を行うにあたって、お客様に来ていただけるか、喜んでいただけるか、共感を持っていただけるか、その結果、店のファンになっていただけるかが最大の関心事であり、その取組みは、世の中の動きに沿って面白いことを企画し、それを多くの人に見ていただきたいという発想から生じていた。そして、常にお客様に目を向けながら展覧会に取り組んでいたことは、小田急百貨店だけではなく、美術館と名乗ったか否かにかかわらず、いずれの百貨店でも同様であったのではないだろうか。だからこそ、百貨店の展覧会は長い間、多くの人に支持され、戦後の都市文化の中で大きな役割を果たすことができたのだと考える。

（1）児童向け出版物のための絵画などを制作する美術作家の団体として、児童画作家の著作権確立を目指して64年に結成された。設立会員は、いわさきちひろ、滝平二郎など150余人。

第6章

新宿西口考――「夢」の再開発

「新宿駅の西口に、副都心と中央公園へと続く、広場とそれを囲む洗練されたビル群から構成された表玄関となる象徴的な都市的な公共空間が誕生する。」〔松隈洋『建築家・坂倉準三「輝く都市」をめざして』〕

この公共空間は、新宿西口広場と小田急ビルなどによって形づくられ、いずれも坂倉準三が一体のものとして設計監理し、広場は66年に、小田急ビルは67年に完成した。

広場は、「太陽と泉のある地下広場」〔〈都市は改造される　新宿の場合〉毎日グラフ67年1月1日号〕というキャッチフレーズもつけられていた。地下広場中央に巨大開口部があけられることで地下1階に太陽光がふりそそぎ、そこに設けられた噴水が陽光を反射して輝くという、「地下にいながら地上を感じる」〔〈地下空間の発見〉東孝光・田中一昭『建築』79号〕、これまでにない画期的な地下広場で、開口部と噴水で形作られる空間自体が斬新なモニュメントとなっていた。また小田急ビルに先行して着工されていた隣接の地下鉄ビルは、これは両ビル一体で小田急百貨店本館となるのだが、小田急ビルとは設計も建設も別であったにもかかわらず、坂倉のたっての要望で広場に面するファサードが一体としてデザインされた。「動きの激しい広場に対峙する壁面は大きく1枚で構える」という考えで〔〈新しい都市空間の形成〉佐々木隆文・坂倉準三建築研究所『新建築』43号〕、「西口広場に面する長さ300mに及ぶアルミパネルのカーテンウォールによる特徴的な外観が」〔Web『美術手帖』21年7月20日〕誕生した。

淀橋浄水場跡地を中心に周辺部も含めた地区を新たなビジネスセンターとする新宿副都心計画が発表されたころから、新宿駅の西口一帯は〝玄関〟と表現されることが多くなる。言うまでもなく、副都心の玄関という位置づけである。国鉄、小田急、京王、地下鉄の各新宿駅から吐き出された人々が、高層ビルが林立し、「30万人のサラリーマンが行きかう、丸の内以上のオフィス街」〔〈新都心めざす新宿〉毎日新聞63年1月6日朝刊〕となる副都心を訪れるときの玄関であり、これまでに誰も見たこともない「新しい感覚でいっぱいの立体広場」〔前掲　毎日グラフ〕は、新宿副都心が未来に向かって発展する姿を十分に予感させるものであった。

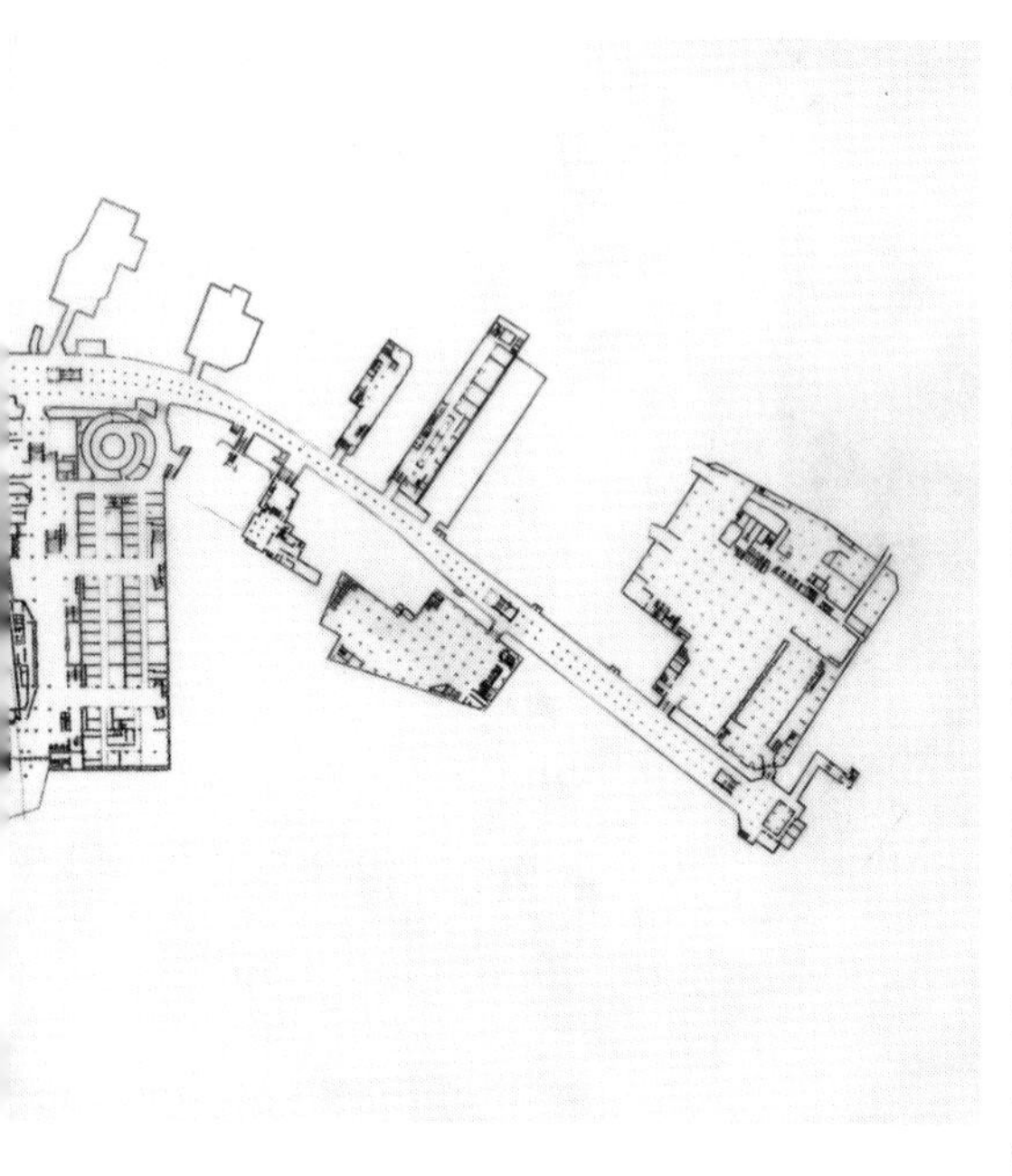

西口広場の地下1階から副都心方向を見ると[1]、目に入るのは副都心に向かう車歩道の暗いトンネルであり、その先にあるはずの副都心は未だ草ぼうぼうの原っぱである。視覚的にも実体でも高層ビルは影も形もなく、そこに向かっていくたくさんの人流もない。しかし、まだ実体は何もなくても、ビジネスで繁栄する街のイメージは広く共有されている。そして、現実となっていないからこそ、人それぞれでイメージをどんどん膨らませて、ニューヨークに匹敵する街までも想起する。高度経済成長の真っただ中、イメージとしてある高層ビル群は、新宿だけで

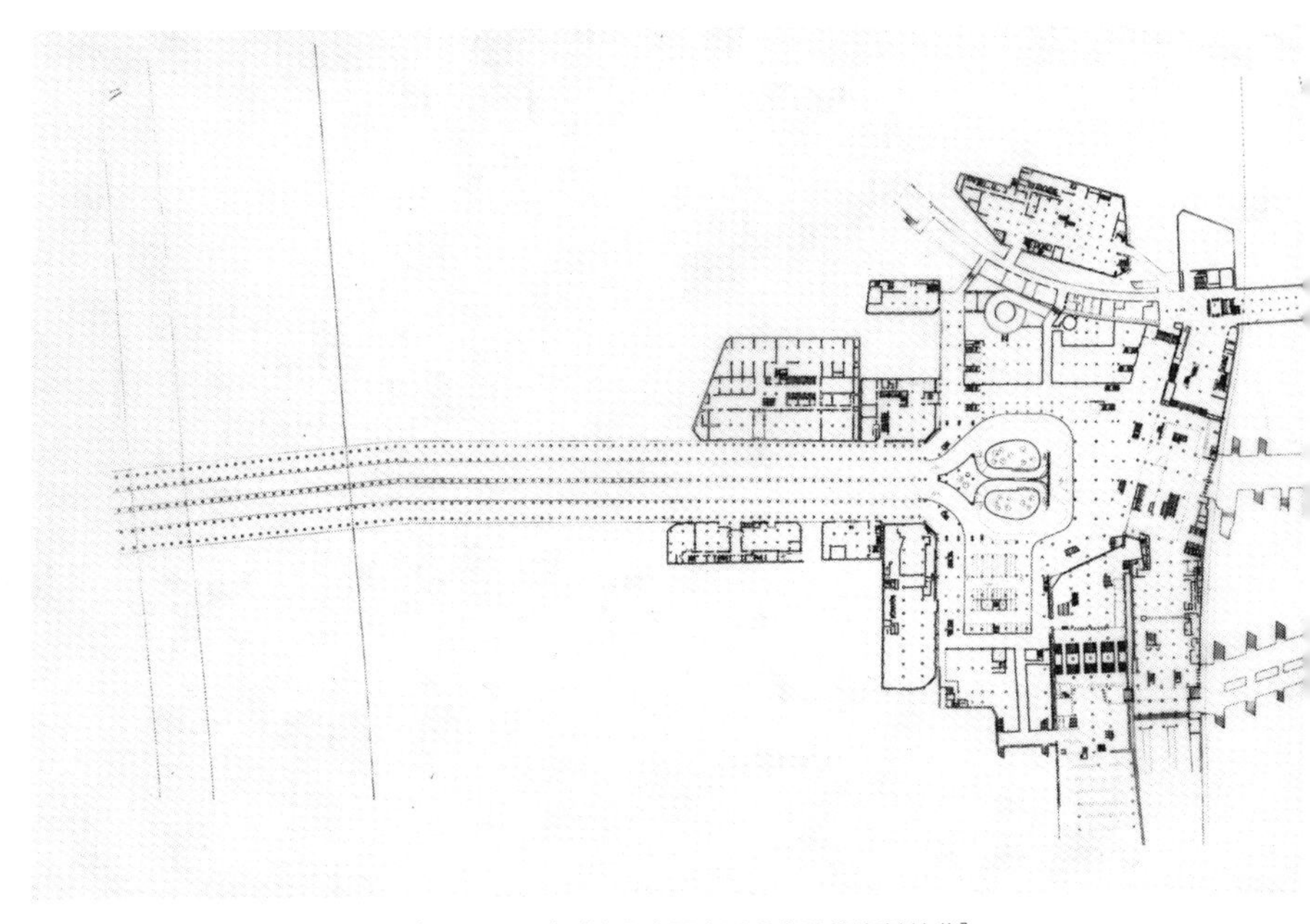

6-1-1　新宿駅周辺地下平面図（制作年不詳）［文化庁国立近現代建築資料館蔵］

はなく東京の、日本の近未来の繁栄の象徴であり、だからこそ未来空間のように出現した新宿西口広場の特徴的なモニュメントの前は、思い描かれるこれからの発展を寿ぐ祝祭の場となったのではないだろうか。モニュメントを囲んで多くの若者が集い、トンネルの闇を抜けたその先には間違いなく繁栄があるという共同幻想のもとで、闇の向こうには輝く明日があると声をあわせた。しかし、彼らの歌声は、輝く明日は闇の先にあると言っているだけで、自分がつくると表明しているわけではなかった。その立ち位置は、自衛隊に入ろうと歌いながら、入った人は誰もいないのと同じところにあった。

副都心の表玄関の中で、西口広場のモニュメントが繁栄の場所に向かう入口のシンボルだとすれば、広場と一体で構想された小田急ビルの位置づけは何だろうか。

ここから先は、私の勝手な見立てである。

上図のほぼ中央の丸い部分が地下1階の巨大開口部（ロータリー・噴水）で、その右側が西口広場と駅コンコース、コンコースの地上部分が小田急ビル（小田急百貨店本館）である。噴水から左に延びる道路が地下4号線（トンネル）で、図面にはないがこの4号線の左側一帯が副都心予定地（浄水場跡地）となる。

未だ現出していない高層ビル群に仮託される発展への希望そのものをご神体と考えると、浄水場跡地はご神体の依り代となる。そこに至るトンネル部分を含む直線の車歩道は参道で、噴水のモニュメントは参道の入口を示す鳥居であり、小田急ビルはご神体を拝するための建物、〝拝殿〟となる。エリアの中心はご神体であり、拝殿はその中心を拝する場であるのだから、拝殿の中に別の中心となる場所は必要ない。ご神体を拝する場を設けて、出来る限り多くの人がその拝殿に入れるようにすればよい。

小田急百貨店に在職中、私が不思議だと思ったのは、この建物には入口がやたらたくさんあるのに、なぜか正面玄関と言える入口がなくグランドフロアもないことであった。老舗百貨店には、多くは主要道路に面したところに立派な正面玄関があり、そこから入ると高い天井のグランドフロアが広がって、お客様を日常とは違う特別の場にお招きするという空間演出がある。

小田急百貨店でも、皇族をはじめ、内外のＶＩＰが来店することは珍しくはなかった。私がグランドギャラリーの担当だった頃もそうしたことは時折あったが、その際、正面といえる入口がないため、ＶＩＰにはどこから入館していただき、百貨店の役員さん達はどこに立ってお迎えをすればよいのか、いつも頭を悩ませたことを覚えている。

しかし今、改めて小田急ビルの成り立ちを調べてみて、なるほど拝殿だからどこが正面ということもなく、建物の中心もなく、そして入口がたくさんあったのかと長年の疑問が氷解した次第である。

67年に完成した小田急ビルは、一部が地上14階、高さ62ｍで当時の新宿では最も高い建物であった。しかし、

6-1-2　新宿西口広場パース（制作年不詳）［文化庁国立近現代建築資料館蔵］

当初は8階建ての計画で、初期のパース（図6-1-2）でもそのようになっている。それがなぜ14階建てになったのかだが、『25年史』は、「建築基準法の改正により一部が14階建てになったが、国内外の百貨店において9階以上の高層階を売場として使用している例はなかった。当社も、この高層階の利用方法については時間をかけて検討してきた」と記している。どうも百貨店として明確な意図があって高層にしたとは読み取れず、基準法の改正に乗じて14階建てにはしたが、さてそこをどのように使おうかといった書きぶりである。事実、設計側は「企画が決定したのは鉄骨が組まれてしまってから」で、9階以上は「ばくぜんと飲食店街」と予想し、「ホテル・オータニのスカイルームのように、比較的大勢の人間のいかない、ゆったりしたものをイメージしていたところが、（……）9階以上のスカイタウンに関しては企画と設計は密着せず、断絶した状態で」と述べ、実際は「催場や、本屋、歯科医も入る」［前掲〈新しい都市空間の形成〉］と戸惑っている。

この企画と設計の断絶や、「スカイタウンの各店舗の区画割は、営業サイドで一方的に決定されてしまったので、店舗と公共部分（通路などパブリックスペース：筆者注）の配分区画に建築家は不在」［〈新宿西口駅本屋ビル〉阪田誠造『建築』91号］といったことがあったためか、下層階からのエスカレーターは9階までしかないなど、スカイタウンと8階以下の営業部門との間、およびスカイタウン各フロア間の回遊性、連動性に欠ける構造であった。このため、文化大催物場は会場の独立性が保たれ、特に貴重な文化財を陳列する際にはそれはメリットとなったが、一方で営業とは離れた存在ととらえられることも多く、シャワー効果や営業との連携を求められる割には、施設構造がそのようになっていないという悩みもあった。そうした構造的な問題はあったが、〝拝殿〟としては、この高層化は成功であった。広場側の窓は、8階以下の基本的には外を見せないカーテンウォールとは異なり、10階から上は一面ガラス張りで、副都心方向が一望できるように設計されていた。新宿地区で最も高いビルからは、富士山の眺望のほかはまだ何もない空間に、高層ビルをいかようにでも林立させて発展する新宿の光景を思い描くことができ、未来の副都心をしっかりと拝することができた。

しかし、希望の星の高層ビルはなかなか出現しない。ようやく建ちあがったのが71年開業の京王プラザホテルで、小田急百貨店本館完成の4年後であった。その後も遅々として進まず、74年に住友ビル、三井ビル、国際電電ビルが完成、それでも新宿副都心の中に立ってみれば、まだまだ空き地の方が目立つ状態であった。この空き地のすべてが埋まったのが90年、東京都庁舎の完成によってであった。60年に発表された副都心計画では68年が完成予定の年であり、実に20年余りの遅れであった。この20年の間、希望はどんどん色褪せて、結果、当初のイメージとはかけ離れた現実を目の当たりにすることになる。

何もない副都心の一角に忽然と現れた京王プラザは日本で初めての超高層ホテルで、最上階のラウンジバーからのこれまでに見たこともない夜景は大変な人気をよび、レストランも一流の店をそろえ、多くの利用客を集めることに成功した。これに続いて人気を集めたのが、80年に小田急電鉄が開業したホテル・センチュリー・ハイアットであった。床に大理石を敷き詰めた広いロビーは8階までの吹き抜けで、その天井からはチェコ製の1基

5000万円と言われる巨大シャンデリアが3基吊り下げられた。この豪華な雰囲気満載のアーバンリゾートホテルは開業時から多くの話題を集め、83年に野口五郎が主役のホテルマンとなるTVドラマの舞台となりさらに知名度を高めた。80年代後半には都心のシティホテルの御三家のひとつにも数えられ、時あたかもバブルの時代、常時限りなく100%という驚異的な客室稼働率を示していた。

余談であるが、バブルの末期、〝瞬間貴族〟などという言葉がはやった頃の12月25日、仕事で朝の9時過ぎにセンチュリーに行くと、広大なロビーを埋めるばかりに若いカップルが長蛇の列を作っていた。チェックアウトのために並んでいるのだが、いったいこれはなんだ、若いうちからクリスマスイブをシティホテルで過ごす輩がこんなにぞろぞろいるなんて、きっと日本は滅びるに違いないと、おじさんは思った。案の定、30年後、日本はアップアップになっている。

確かにこのように人を集める建物はあったのだが、副都心を一つの街と考えた時、決定的に欠けていたのは回遊性であった。センチュリーや京王プラザのアーバンリゾートでひと時を過ごすとき、ではホテルの外で楽しめるところはと考えても副都心の中にはほとんどない。目的はホテルであって、副都心ではない。建ち並ぶオフィスビルへの人流は確かに多いが、その人たちは〝仕事〟という目的を果たせばそれで終わりで、エリアの中でほかに行く場所といってもせいぜい飲食程度である。私が新宿西口で働き始めたのは、住友、三井の高層ビルがオープンした年で、その後いくつかビルが建ちあがり、在職中は、副都心に仕事でもプライベートでも時折足を踏み入れた。しかし、仕事でも食事でも、目的が終われば新宿駅の方に戻るばかりで、副都心の中の他の場所に移動した覚えはほとんどない。一次会を高層ビルのどこかの飲食店でやっても二次会は駅の方、安田火災ビルの東郷青児美術館で美術展を鑑賞して、ちょっとゆとりの時間を過ごした後でも、副都心の中での行動はそれだけであった。

回遊性をもたらすのは、性格の異なる楽しい場所がいくつもあるからこそであろう。レストランなどの飲食だけでなく、劇場、コンサートホール、ミュージアム、スタジアムといった文化・スポーツ施設、お洒落なショッピング・モールなどの商業施設が点在してこそ活気のある魅力的な街となって、そこは永続的に人を引き付けていく。ブロードウェイや五番街があるからこそのニューヨークである。高層ビルを建ち並べてオフィス街とすれば人は集まり繁栄するという発想は、60年代の計画だからなのか、行政が主導する開発の限界なのか、いずれにしても新宿副都心では計画が進んでいっても、夢描いた明るい未来が実現されることはなかった。

ただ、まだ街区ごとの分譲先の見通しもほとんどたっていなかった64年、「(副都心の中には)後楽園野球場のようなものが出来ればいい」と安藤楢六は発言している［『トップマンと事業』第1巻］。わかる人はわかっていたようである。

67年に小田急百貨店の本館が開業したとき、まだ副都心には建物の影も形もなかったが、表玄関のエリアだけは立派な構えとなった。街というほどの規模ではないが、それでもこのエリアの中で、買物・飲食や通勤・通学といった目的のためだけではなく、ほかに何か楽しんでもらえる場所が必要と、小田急の企画者は漠然と気づいて、そこで設けられたのが、本館11階の〝文化大催物場〟であり、別館ハルク7階の〝小田急ファミリーゴルフ場〟であったと思われる。(図6-1-3)

ゴルフ場はパターゴルフではあるが、7階フロアの大半を利用して高原ゴルフ場の雰囲気を演出し、400ヤード、18ホール、パー72で複雑なアンジュレーションもある変化に富んだコースで人気を呼んだ［『25年史』］。「東口の盛り場としての性格を、(品格を重んじる)副都心向きにしたアイディア」［深作光貞『新宿考現学』］とも評されているが、いずれにしても買物や仕事などのための目的が明確な場所とは別に、遊び場、息抜きの場を設けたわけである。ただ、文化大催物場にしてもゴルフ場にしても、これまでの百貨店にはない特色ある施設であるの

6-1-3 小田急ハルク7階にあったミニゴルフ場［『25年史』］

に、そのことを積極的に表明した形跡がどうにも見つからない。ここであえて「漠然と気づいた」と記したのはそのためである。特に文化大催物場は、百貨店では初めての文化のための専用施設なのだから、文化を大事にする小田急百貨店とアピールしてもよさそうなものだがそれはなく、あるいは新たな集客装置として設置したのならば、もう少し営業フロアとのアクセスに配慮しても良いはずなのだが、どうもやっていることがちぐはぐな印象を否めないのである。

もしかしたら、後付けで建てることになった9階以上の使い方を検討するなかで、「そうだ文化だ」となったのではないか、62年の小田急百貨店開業時の〝文化催物場〟や、92年の〝小田急美術館〟と同様の〝成り行き〟だったのではないかとも思われる。

しかしこの〝成り行き〟は、状況対応で最適解を求めていく小売業の真骨頂であり、別におかしなことでもない。〝文化芸術〟に取り組むのだから崇高な理念がまず最初になければならないなどということはないはずで、展覧会で問われるのは理念や看板ではなく、何をどのように展観しているのかである。あえて理念的なことを持ち出すとすれば、百貨店だからこそのクオリティをもって、お客様に喜んでいただき、お客様の期待を裏切らない展覧会を行っていくということになるだろう。

回遊性の欠落は副都心の中だけでなく、西口広場と副都心との間にもあった。表玄関だけは先に立派にできたのだが、肝心の副都心はいつまでたっても中途半端なままである。ご神体がきちんとあれば、鳥居からそこに至る参道はそれにふさわしく整備されなければならない。ところがご神体はなく、さらに鳥居のまわりの広場は、それが出来て3年後には人々が集う〝広場〟であることを否定され、〝通路〟と規定されてしまった。本来は、広場で楽しく集う人々がそのままの雰囲気で三々五々と歩きながらご神体にたどりつくべきはずの参道は、出発点が〝通路〟となり、到着点に何もないとなれば、ただの移動のための歩道で構わないとなる。歩いてつまずかない程度の明るさでよく、そこに何か楽しい仕掛けがある必要もなく、西口から副都心まで行くには、地下の薄暗いトンネルを、ただ目的のために仕方なくそこを通っていくことになる。

75年3月の地下4号線整備基本計画パースは、ここで言う〝参道〟であるが、西口から副都心方向に向かう道を描いている（図6-1-4）。これを見ると、地下1階の車道はなくなって広々とした遊歩道となり、それに平行して地上1階の車道部分を切り取って開口し、地階に陽光と外気が注ぐようになっている。まさに地下空間にありながら地上空間を取り込むという西口広場のコンセプトが再現され、地下は通路・車歩道ではなく広場の延長であり、楽しげなショーウィンドウも描かれている。

66年の西口広場完成直後でも、前掲の〈新しい都市空間の形成〉では「一応完成はしたが、まだデザイン意図は明瞭に現れていない。今後もどんどん変えていく必要がある」と述べられている。

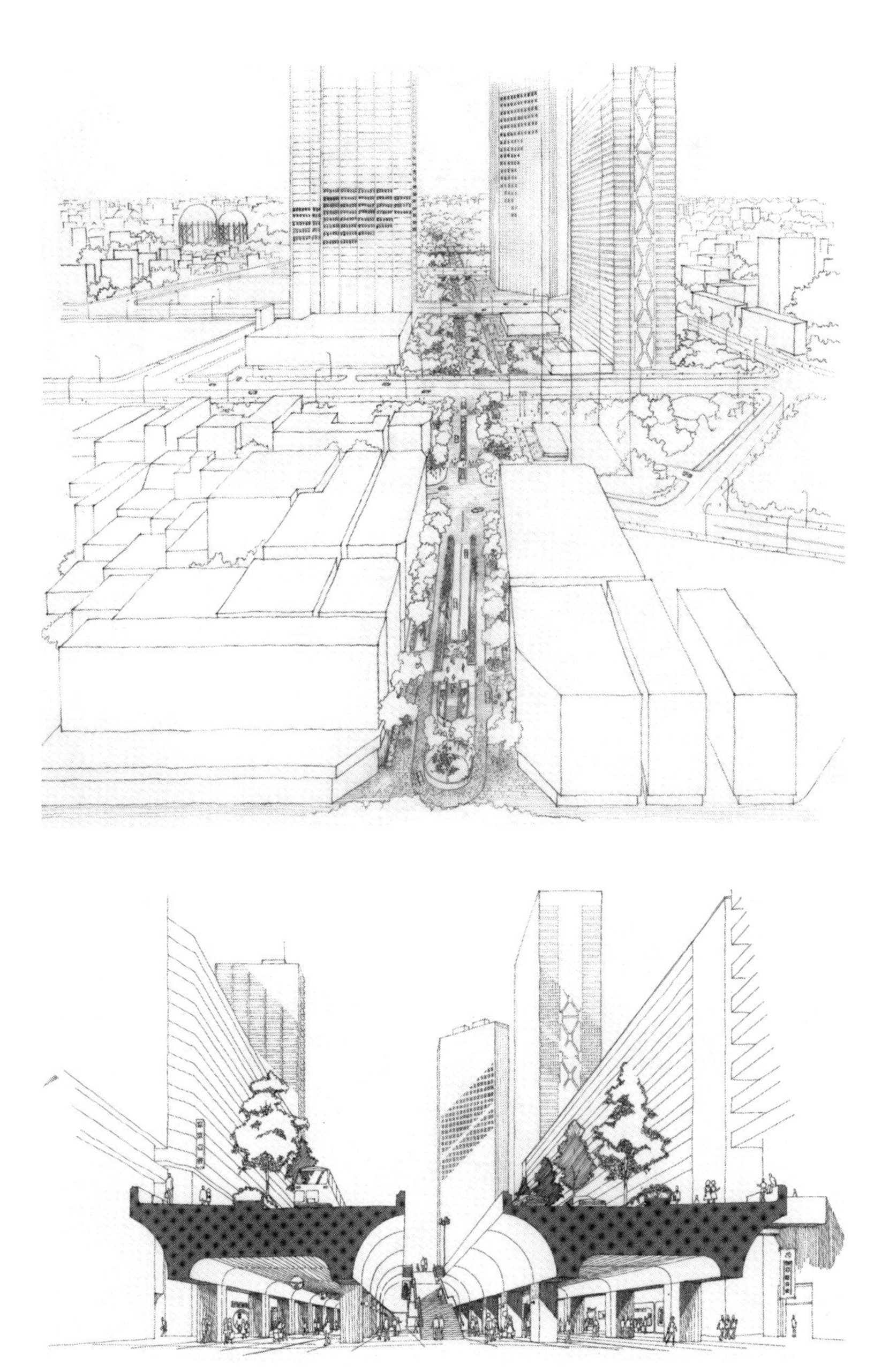

6-1-4 新宿西口広場及び副都心地下4号線整備基本計画パース（1975年3月）［文化庁国立近現代建築資料館蔵］

このパースがどのような目的と意図があって描かれたのかはわからないが、「変えていく必要」の考え方を表現したのであろう。もしこのパースの計画が実現していれば、表玄関から副都心までの連続性がいい形で実現され、駅から副都心までの充実したアクセスで集客の可能性が拡大し、副都心も含めて新宿西側エリアの街としての魅力度は大きく向上したのではないかと想像する。そして、副都心には、オフィスビルばかりでなく、エンターテインメント系の企業や施設も進出して、この地域の活性化に好循環が生まれたのではないだろうか。

しかしこの図の計画は陽の目を見ることなく、結局、副都心までのアクセス路は薄暗いトンネルのまま放置され、並ぶのはオフィスビルばかり、そしてとどめは、90年に完成した東京都庁舎であった。都庁が開庁すれば昼間の人流が大幅に増加すると期待され、それはその通りであったが、役所の出現が街の活性化の起爆剤になるわけもなく、それが百貨店の売上げに反映されることはほとんどなかった。さらに、都庁移転にあわせたかのように地下通路にダンボール村が立ち並び始め、新宿西口の魅力度は低下するばかりとなり、結局のところ新宿副都心計画は失敗と言わざるを得ない状態となった。

まだ皆が、新宿西口の発展を確信していた68年、深作光貞は「東口の盛り場と西口の副都心は、別々の発展をとげ、二つの新宿を生み出す」〔前掲『新宿考現学』〕と予想している。実際に西口では、東口の盛り場の解放感、刺激、猥雑、頽廃といった要素を取り入れることはなく、深作が言う〝秩序〟、〝整然〟、〝固定〟のオフィスビルを着々と建ち並べた。

69年公開のATG映画〈薔薇の葬列〉（松本俊夫　脚本・監督）には、新宿東側繁華街の最もディープな場所、二丁目のゲイバーで働く売れっ子エディ（当時16歳のピーターが演じる）たち3人のゲイボーイが、女装のまま西口地下広場のショッピング街をそぞろ歩き、ショップでレディスウェアの品定め、その頃はやり始めたソフトクリームの食べ歩き、そして男子トイレで3人並んでの〝ツレション〟の後ろ姿にサラリーマンが目を泳がせるというシーンがある。西には東のいかがわしさは似合わない、西は東を包摂することはできないだろうということをコミカルに暗示している。また、『ビッグコミック』69年9月10日号に掲載された棋図かずおの〈現代妖怪群饗宴之図〉は、「フォークゲリラから新宿西口の奪取にくりだす」として、スモッグ、インフレ、ベトナム、アンポ、バンパクが妖怪となって、新宿西口広場に跳梁跋扈するさまを描き、社会矛盾に眼をつぶって発展への希望をうたいあげる副都心計画のいかがわしさを表現している。

〝街づくり〟は、単に建物や施設をつくって並べればそれで良いというわけはなく、そこに人間の生活、文化が織り込まれ、欲求、欲望も包摂してこそが本来の姿であろう。街の発展の絵図をビジネスという経済視点のみで描いたことが、「新宿副都心では、何棟もの巨大な超高層の間の空間が極端に無機質で空虚なままに残されていった」〔吉見俊哉『東京復興ならず』〕という結果をもたらしたことを、松本、棋図の鋭敏な感覚はいち早く察知していたようである。

21世紀になって、東京都心では様々な地域で大手ディベロッパーによる再開発が進められている。丸の内の三菱地所、日本橋の三井不動産、六本木の森ビル、渋谷の東急グループなど、そこには三菱一号館美術館、三井記念美術館、森美術館などの文化施設が置かれ、Ｂｕｎｋａｍｕｒａは大規模改修の予定である。街づくりには、経済的利益や効率ばかりではない、ゆとりの場、感性を刺激する場が必要であり、それがあってはじめて街が行きかう人々に愛され、長続きすることになると理解されているためであろう。

東京都と新宿区は、２０１７年6月に新宿駅周辺地域のまちづくりの方向性を示す『新宿の新たなまちづくり～２０４０年代の新宿の拠点づくり』（以下『新たなまちづくり』）を策定し、これを受けて、「拠点づくり」に先行して再編を行う新宿駅直近地区のまちづくりについて、２０１８年3月に『新宿の拠点再整備方針～新宿グランドターミナルの一体的な再編～』で方針を示した。この「新宿グランドターミナル」構想は、JR新宿駅の上に東西にまたぐデッキ（セントラルプラザ）を設け、これを骨格軸として東西南北すべての方向で、「交流・連携・挑戦」をテーマに駅、駅前広場、駅ビル等を一体的に再編するもので、主な事業者として行政から国土交通省、東京都、新宿区、鉄道事業者からJR東日本、小田急、東京メトロ、京王、西武が参画している。そして、新宿グランドターミナルのコンセプトは、「誰にとっても優しい空間がまちとつながり、様々な目的を持って訪れる人々の多様な活動にあふれ、交流・連携・挑戦が生まれる場所」としている。その中心となるデッキは〝広場〟と位置づけられているが、これがただの〝通路〟とならないよう祈るばかりである。

「新宿グランドターミナル」構想に基づき、まず西ゾーンとなる駅西口において、小田急百貨店本館である小田急ビル、地下鉄ビルが２０２２年10月から解体工事に入り、２０２９年には地上48階・地下5階・高さ約２６０mの新宿で最も高い（予想）ビルが完成する。また、着工、完成年度は不明だが、西口広場も、あの斬新なモニュメントと評された地上地下一体の空間を継承しながらも、「駅前広場と建物が一体となった「立体都市広場」に造りかえられ、いずれにしても新宿西口は大きく変貌を遂げることになる。西口だけでなく新宿駅とその周辺を含めた大規模な再開発であるが、そのまちづくり全体の中に、また小田急・地下鉄の新たなビルの中に、どのようなゆとりの場、感性刺激の場が出現するのか、興味のあるところである。

新宿副都心計画は、都心に集中する各種中枢機能を新宿に分散し、さらに新たなビジネス街としての機能も加えた計画であり、新宿の発展と未来の繁栄を予感させるものであった。それから60余年、東京都は、新宿を〝副都心〟という都心の各種業務機能の中枢を移転させる受け皿やそれを補完する場であることから脱却させ、新たな価値を創造する拠点として再編するとしている『新たなまちづくり』。

60年前も再開発と言ってはいたが、新宿西口においては実際のところは新たな開発で、ほぼ平らといってもよい土地が整備され、新しい建物や構造物が次々と出現していった。だからこそ、それが続いている間は、多くの人が抵抗なく未来への希望をそこに託すことができた。今度は本当の街の再開発で、今あるものを壊して全体を造りかえていくことになるのだが、新宿の拠点整備の必要性について、「新宿は約半世紀にわたり大規模な再編整備が行われていない」「老朽化等により、都市の魅力や活力が低下するなど、機能更新の時期を迎えている」〔いずれも『新たなまちづくり』〕と、なかなかそこからは躍動する未来は想像しがたい。

時代が変われば街のありようも変わり、それにつれて街を構成する建物群も変わっていくのも当然であろう。しかし、次の時代にふさわしい活気のある創造的な出会いの場をつくっていくためには、やはり計画段階から完成を経て現在に至る60年間の検証は必要であろう。なぜ新宿西口が「輝く都市」になり切れなかったのか、「60年で賞味期限がきれたので廃棄」では、それをつきとめていくことは出来ないと考える。

一時代を画した構造物、建築物を解体して新たな空間を創りあげていこうというのだから、先達の思いを上回る、新しい新宿西口になることを大いに期待したい。

（1）現在は耐震補強で改装したために、西口通路の地下1階から副都心方向を見ても、トンネルはほとんど目に入らない。

あとがき

数年前の夏、孫が見に行きたいと言うので、池袋西武で開催中の『すみっコぐらし展』に連れて行った。「すみっコぐらし」が何であるか知らなかったが、「5周年を迎え、ますます盛り上がっていく「すみっコぐらし」の新たな魅力発見」ということで、会場についてみたら思いがけず大盛況、入場制限となっていた。大分待たされて、孫たちを会場に送り込み、私は外で待っていたが、係のおじさん達（多分管理職だと思う）が、汗をふきふき入場者整理に当たっていた。あの頃私もやっていたな、こういう時の夜のビールはうまいんだよなという懐かしさとともに、こうして目的があれば池袋の商圏外からわざわざ家族連れで訪れ、ついでに食事をしていくという、百貨店の展覧会とはこういうものだったと思い返していた。

商品力と集客力は小売業の永遠のテーマであるが、商品力はひとまずおいて、リアルの店舗でもWeb上のサイトでも、まずはそこに来てもらわなければ商売は始まらない。来てもらうための動機付けが、印象派の展覧会ということはもうないだろうが、集客のためのイベント企画で、担当者がいろいろと知恵を絞っていくのは、昔も今も変わらないことであろう。

百貨店の展覧会企画では、知恵を絞るにあたっては幅広いジャンルを対象とし、内容は多岐にわたり、企画の出所も様々であった。70年代以前は新聞社発が多かったが、全体を通してみると本書で述べてきた通り、百貨店の企画への関わり方は、全くのおまかせからすべてを百貨店でやるまでグラデーション状態であり、企画は新聞社、百貨店は会場提供だけという捉え方は全くの誤りであることは改めて指摘しておきたい。

本書では、小田急百貨店の美術展についてては近現代の絵画が中心となったが、もちろんジャンルはそれだけではなく、特に浮世絵と陶磁器（茶陶）の展覧会も紹介したいことがいくつかあった。紙幅の関係で残念ながら割愛せざるを得なかったが、また機会をみつけてチャレンジできればと思っている。

時代の検証には記録が必須である。記録は記憶でつくり上げられ、記憶の蓄積があればあるほど記録に厚みが増し検証の精度も上がっていくだろう。小田急百貨店の展覧会とその周辺も、時代のひとこまとはいえ時代を形づくる要素であったことは間違いなく、それらが記録も残らずに忘れ去られていくのは、やはり忍びがたいものがある。そんな思いもあって本書を執筆することにした。実際に取り掛かってから1年弱、その間、何かと支えてくれた妻には感謝の気持ちを伝えたい。

そうした私の思いを汲みあげていただき、前著に続いてふたたび出版にご尽力をいただいた筑摩書房の田中尚史氏、そして本書の趣旨をご理解いただき、写真とともに社内資料も提供してくださった小田急百貨店、図版掲載にご協力をいただいた文化庁国立近現代建築資料館、資料の面でお力添えをいただいた竹﨑博久氏、資料の保管と探索でお手数をおかけした㈱東京全通の網島俊裕氏、同社の故村上和夫氏に改めて感謝を申し上げます。

狩野敦博氏には、40年前に開催された『鉄道展』を記憶にとどめて今もブログで公開していただいていることに、当時それを担当した者としてはとてもうれしく、開催してよかったと思う次第で、写真使用を快く許可して下さったこととあわせて心からの感謝を申し上げます。

また、本文の90年代の記述の中で〝担当者〟と記した成川隆氏には、90年代の小田急美術館を担当されていたことから、その時代の展覧会の詳細なところをご教示いただきました。心からお礼申し上げます。そして開業以来40年近くの間、お客様のために〝見応えのある〟を目指して展覧会を作り上げていこうと努力してきた、小田急百貨店の展覧会担当の皆様に敬意を表する次第です。

最後に、これも本文中で〝上司〟としてたびたび登場していただいた、故小林久夫氏には当時の適切なご指導を思い返しつつ、改めて感謝と哀悼の意を捧げます。

前著が仕上がったとき、積み重ねてきた展覧会データをさてこれからどのように扱っていこうかと思案したが、今回もまた、これからどうしようかと、次の展開も含めての思案となりそうである。

引用・参考文献

◎展覧会図録など

○小田急百貨店

『みちのくの秘宝　中尊寺展』［1968年／東京新聞、東京中日新聞編／東京新聞］

『失われた人間性を求めて　アフリカ黒人芸術展』［1968年5月／朝日新聞社］

『ネパール王国の秘宝』［1968年／読売新聞社］

『発掘10周年記念　埋れていた奈良の都　平城宮展』［1969年1月／朝日新聞社］

『太陽と獅子と武勇の帝国　エチオピア国宝展』［1970年／読売新聞社］

『2000年前の日本——弥生人展』［1970年／朝日新聞東京本社企画部］

『シルクロードの生活と民芸　文明の十字路美術展』［1970年7月／共同通信社開発局］

『岸田劉生展』［1970年11月／東京新聞］

『地球展　極地の過去と現在を中心として』［1970年／朝日新聞東京本社企画部］

『蕭白と蘆雪を中心に　近世異端の芸術展』［1971年／日本経済新聞社文化事業部］

『現代の幻想絵画展　不安と恐怖のイメージを探る』［1971年／朝日新聞東京本社企画部］

『萬鐵五郎展』［1972年／読売新聞社］

『神秘と夢幻のレアリスム　ウィーン幻想絵画展』［1972年／朝日新聞東京本社企画部］

『日本列島展　その誕生から人間登場まで』［1972年／朝日新聞社企画部］

『象牙海岸にみる民族の美　ブラック・アフリカ芸術展』［1972年6月／アフリカ協会］

『飛鳥展——その謎をさぐる』［1972年／朝日新聞社］

『生きてる浮世絵　刺青（ほりもの）展』［1973年／東京新聞事業局］

『異端の放浪者　円空・木喰展』〔1973年／朝日新聞社企画部〕
『骨からみた移りかわり　日本人類史展』〔1973年／朝日新聞社〕
『縄文人展　自然に生きた祖先の姿』〔1975年／朝日新聞東京本社企画部〕
『世界巨匠版画展　ドラクロワからパウル・クレーまで』〔1976年／日本美術館企画協議会〕
『パウル・クレーとその友だち展』〔1976年／日本経済新聞社〕
『藤田嗣治』〔1977年／海龍社編／藤田嗣治展開催委員会〕
『セガンチーニ、ホドラーらによる　スイス・アルプス名画展』〔1977年／朝日新聞東京本社企画部〕
『横井弘三展』〔1976年／長野県信濃美術館〕
『松本竣介展』〔1977年／日本経済新聞社〕
『須田国太郎展』〔1978年／東京新聞〕
『セガンチーニ展　アルプスの牧歌と幻想』〔1978年／兵庫県立近代美術館編／日本経済新聞社〕
『水彩画の巨匠　没後30年記念　中西利雄展』〔1979年／東京新聞〕
『ゴッホとその時代の画家たち　19世紀オランダ絵画展』〔1979年／東京新聞〕
『現代美術の父　瑛九展』〔1979年／靉嘔、魚津章夫、水木育男編／瑛九展開催委員会〕
『苦悩の画家魂の叫び　靉光展』〔1979年／東京新聞〕
『没後50年記念　前田寛治展』〔1979年／日本経済新聞社〕
『杉本哲郎展』〔1980年／朝日新聞大阪本社企画部〕
『生誕100年記念　斎藤茂吉展』〔1982年／山形県上山市〕
『真実と人間愛に生きた写真家　ユージン・スミス展』〔1982年／PPS通信社〕
『古代アンデスの秘宝　栄光のインカ帝国展』〔1984年／寺田和夫編／読売新聞社〕
『和泉流宗家秘蔵による　狂言展』〔1986年／読売新聞社〕
『キャンバスに描かれた室内楽　有元利夫展』〔1986年／毎日新聞社〕

『戦火に消えた幻の名窯――横浜真葛焼　宮川香山展』〔1986年／読売新聞社〕
『光太郎　智恵子の世界展』〔1987年／読売新聞社〕
『小貫政之助の世界』〔1989年3月／池田20世紀美術館〕
『ベン・ニコルソン展』〔1992年／アート・ライフ〕
『まなざし――ラインハルト・サビエ展』〔1999年／朝日新聞社文化企画局文化企画部〕
『自然とともに生きる絵本作家　ターシャ・テューダーの世界』ターシャ・テューダー〔2000年7月／ブック・グローブ社／伊藤元雄〕
『金山康喜――青のリリシズム』〔2000年／富山県立近代美術館、朝日新聞社編／朝日新聞社〕
『スヌーピーの50年　世界中が愛したコミック『ピーナッツ』』チャールズ・M・シュルツ　三川基好訳〔2001年1月25日／朝日新聞社〕

○小田急百貨店以外

『白隠・仙厓・円空・木喰展　近世異端の芸術』〔1961年／日本経済新聞社〕
『日本の幻想』〔1965年／サントリー美術館〕
『現代の眼――東洋の幻想』〔1966年／国立近代美術館〕
『近代日本洋画の150年展』〔1966年／神奈川県立近代美術館〕
『日本洋画を築いた巨匠展』〔1977年／神奈川県立近代美術館〕
『名作にみる生きた美術史　20世紀美術の巨匠展』〔1978年／西武美術館〕
『開館30周年記念展第1部　日本近代洋画の展開』〔1981年／神奈川県立近代美術館〕
『写真家が見た20世紀　写真の世紀展』平木収〔2000年／PPS通信社〕
〈白川義員論　悠久無限の映像交響楽〉岡井耀毅〔『前人未到の旅路をゆく　白川義員写真展　アルプスから世界百名山へ』2003年7月／東京都写真美術館〕

◎社史、団体史

『開店満五周年記念　京濱デパート大観』［1938年7月1日／百貨店日日新聞社］
『日本経済新聞八十年史』［1956年12月／日本経済新聞社社史編纂室編／日本経済新聞社］
『日本百貨店協会10年史』［1959年5月／日本百貨店協会］
『髙島屋美術部五十年史』［1960年10月／髙島屋美術部五十年史編纂委員会編／髙島屋本社］
『大丸二百五拾年史』［1967年10月／大丸二百五十年史編集委員会編／大丸］
『奈良国立文化財研究所二十年史』［1973年／奈良国立文化財研究所］
『国立科学博物館百年史』［1977年11月1日／国立科学博物館］
『新宿区史：区成立三〇周年記念』［1978年3月／新宿区］
『小田急百貨店25年のあゆみ』［1988年9月／小田急百貨店］
『伊勢丹百年史』［1990年3月／伊勢丹広報担当社史編纂事務局編／伊勢丹］
『豊島区史　通史篇三』『豊島区史　通史篇四』［1992年3月／豊島区史編纂委員会編／豊島区］
『日本百貨店協会創立50年記念誌1948-1998　協会50年のあゆみ』［1998年5月／日本百貨店協会創立50年記念誌編纂委員会編／日本百貨店協会］
『小田急75年史』［2003年3月／小田急電鉄株式会社社史編集事務局編／小田急電鉄］
『東日本旅客鉄道株式会社二十年史』［2007年10月／東日本旅客鉄道株式会社］
『小田急百貨店50年史』［2013年4月／小田急百貨店］

◎一般書

『岸田劉生』土方定一［1941年12月16日／アトリヱ社］
『堤康次郎伝（日本財界人物伝全集別巻第1）』筑井正義［1955年2月20日／東洋書館］

〈新宿副都心建設の一翼荷負う　小田急電鉄株式会社取締役社長　安藤楢六氏〉小田ミツ［『トップマンと事業』第1巻／1964年8月／全東京新聞社］

『新宿考現学』深作光貞［1968年9月15日／角川書店］

『岸田劉生』土方定一［1971年9月20日／日動出版部］

『耕うん機で日本一周の青春　ひとりぼっちの夕焼け』松山清一［1975年7月16日／講談社］

〈戦後絵画の展開〉高階秀爾［『近代日本絵画史』河北倫明、高階秀爾／1978年4月／中央公論社］

『日本現代写真史1945−1970』［1978年10月12日／日本写真家協会編／平凡社］

『狂言を観る』和泉元秀［1983年9月／講談社］

『対談集　狂言でござる』和泉元秀［1985年3月／講談社］

『私の履歴書　経済人19　〈安藤楢六〉』［1986年11月／日本経済新聞社］

『Bunkamura』［1989年8月／東急文化村編／東急広報委員会］

〈ATG三十年の歩み〉佐藤忠男［『ATG映画を読む』／1991年7月25日／佐藤忠男編／フィルムアート社］

『危機のデパート業界　東武・西武の明暗』鈴木千尋［1993年2月／エール出版社］

『設立30周年記念誌　北方領土返還運動の歩み』［1993年3月10日／北方領土復帰期成同盟］

『展覧会の壁の穴』小林敦美［1996年11月28日／日本エディタースクール出版部］

〈創立者の精神〉難波英夫［『西武美術館　セゾン美術館の活動　1975−1999』／1999年2月／セゾン美術館］

『百貨店の誕生』初田亨［1999年9月9日／筑摩書房］

『小さな箱　鎌倉近代美術館の50年　1951−2001』［2001年11月17日／神奈川県立近代美術館編／求龍堂］

『一九七二』坪内祐三［2006年4月10日／文藝春秋］

『1960年代の東京：路面電車が走る水の都の記憶』池田信［2008年3月／毎日新聞社］

『ポスト消費社会のゆくえ』辻井喬・上野千鶴子［2008年5月／文藝春秋］

『シリーズ日本近現代史⑧　高度成長』武田春人［2008年4月22日／岩波書店］

『シリーズ日本近現代史⑨　ポスト戦後社会』吉見俊哉［２００９年１月20日／岩波書店］
『セゾン文化は何を夢みた』永江朗［２０１０年９月30日／朝日新聞出版］
『昭和史　下』中村隆英［２０１２年８月９日／東洋経済新報社］
『１９６９新宿西口地下広場』大木晴子、鈴木一誌［２０１４年６月／新宿書房］
『坂倉準三の都市デザイン　新宿駅西口広場』新宿駅西口広場建設記録刊行会［２０１７年２月20日／鹿島出版会］
『セゾン　堤清二が見た未来』鈴木哲也［２０１８年９月25日／日経ＢＰ社］
『東京復興ならず』吉見俊哉［２０２１年６月25日／中央公論新社］
『建築家・坂倉準三［輝く都市］をめざして』松隈洋［２０２１年12月10日／青幻舎］

◎研究誌、年報、会報、報告書

〈百貨店と催物〉川勝堅一（談）［『三田広告研究　No.20』／１９３６年７月10日／慶應広告学研究会］
〈中尊寺藤原氏遺骸の学術調査について〉石沢正男［『国立博物館ニュース５月号』／１９５０年５月／国立博物館］
〈日本写真界展望〉金丸重嶺［『日本写真年報――１９５８年版』／１９５８年６月／日本写真協会］
『出版文化国際交流会会報　第26号・第27号』［１９５８年９月・11月／出版文化国際交流会］
『Ｔｏｊｈｆ’63　ヒマラヤの山波越えて』［１９６４年／東京都立大学山岳会・大阪府立大学山岳会合同東部ネパール学術調査隊］
〈欧米絵本略史〉安藤美紀夫［『日本児童文学』１９７７年10月号／小峰書店］
〈第２次百貨店法の特質〉加藤義忠［『関西大学商学論集』第34巻第４号／１９８９年10月／関西大学学術リポジトリ］
〈百貨店の国策展覧会をめぐって〉難波功士［『関西学院大学社会学部紀要81巻』／１９９８年10月／関西学院大学社会学部研究会］
〈奈良そごう美術館の軌跡〉服部敦子［『奈良学研究』第５号／２００２年３月／奈良学学会］
『進化生研ライブラリー９「環境生物学の祖　近藤典生の世界」』淡輪俊［２０１０年10月／東京農業大学出版会］

『立正大学の海外佛跡調査　ティラウラ・コットからカラ・テペへ』［2015年6月19日／立正大学博物館］
『日本百貨店協会会報』1001・1002・1003［1978年5月・6月／日本百貨店協会］
『日本百貨店協会統計年報』［各年度／日本百貨店協会］（本文の百貨店売上高・売場面積は当該年度の年報により計算）
『新宿の新たなまちづくり〜2040年代の新宿の拠点づくり〜』［2017年6月／東京都・新宿区］
『新宿の拠点再整備方針〜新宿グランドターミナルの一体的な再編』［2018年3月／東京都・新宿区］
『新宿グランドターミナル・デザインポリシー2021』［2021年11月／新宿の拠点再整備検討委員会］

◎雑誌・専門誌

〈ル・コルビュジエ　レジェ　ペリアン　三人展〉丹下健三［『美術手帖』1955年5月号／カルチュア・コンビニエンス・クラブ編／美術出版社］
〈高浜和秀の渡伊〉清家清［『建築』第31号／1963年4月／青銅社］
〈建築家の個展のこころみ〉篠原一男［『建築』第45号／1964年5月／青銅社］
〈都市は改造される　新宿の場合〉［『毎日グラフ』1967年1月1日号／毎日新聞社］
〈地下空間の発見〉東孝光・田中一昭［『建築』第79号／1967年3月／青銅社］
〈新宿西口広場・駐車場〉［『新建築』第42号（3）／1967年3月／新建築社］
〈新しい都市空間の形成〉佐々木隆文・坂倉準三建築研究所［『新建築』第43号（3）／1968年3月／新建築社］
〈新宿西口駅本屋ビル〉阪田誠造［『建築』第91号／1968年3月／中外出版］
〈新宿西口〝広場〟の生態学〉東野芳明［『中央公論』1969年10月号／中央公論社］
〈ユージン・スミス写真展〉森永純［『スペースデザイン』1971年10月号／鹿島出版会］
〈ユージン・スミスは語る〉［『アサヒカメラ』1971年10月号／朝日新聞出版］
〈街のイメージ・コンセプトをつくる〈ぶらんでーと〉の誕生〉［『ブレーン』1972年1月号／宣伝会議］
〈「ぶらんでーとTO―B」とした東武百貨店の野望とその心意気〉東武百貨店販売促進室［『宣伝会議』1972年3月臨

時増刊号／宣伝会議〕
〈企業イメージ形成に寄与した文化催事〉小林久夫、〈文化催事の意味と在り方〉小林敦美〔『宣伝会議』１９７８年４月臨時増刊号／宣伝会議〕
〈神田日勝展の感動〉〔『芸術新潮』１９７８年５月号／新潮社〕
〈戦後海外美術展うらおもて〉〔『芸術新潮』１９８６年２月号／新潮社〕
〈三越、新宿に美術館、つづいてパリに美術進出〉〔『月刊美術』１９９１年10月号／サン・アート〕
〈東武美術館オープン〉〔『三彩』１９９２年７月号／三彩社〕
〈幻視の画家　小山田二郎展〉青木宏〔『美術手帖』１９９４年３月号／カルチュア・コンビニエンス・クラブ編／美術出版社〕
〈現代妖怪群饗宴之図〉楳図かずお〔『ビッグコミック』１９６９年９月10日号／小学館〕

◎週刊誌

〈副都心の玄関で「どけ」「どかぬ」〉〔『週刊読売』１９６４年８月２日号／読売新聞社〕
〈丸物百貨店閉店大売り出し〉〔『週刊新潮』１９６５年12月11日号／新潮社〕
〈渋谷に乗りこんだ西武の独身社長〉〔『週刊現代』１９６８年５月２日号／講談社〕
〈急伸する京王百貨店の新エリート商法〉〔『週刊現代』１９６６年８月18日号／講談社〕
〈整形された新宿〉〔『週刊新潮』１９６６年９月24日号／新潮社〕
〈華麗なる〝新宿戦争〟の秘密〉〔『週刊読売』１９６６年12月16日号／読売新聞社〕
〈釈迦の宮殿『カピラ城』発掘展に疑問あり〉〔『週刊新潮』１９６８年７月13日号／新潮社〕
『少年マガジン』〔１９６９〜１９７１年の各号／講談社〕
〈色彩の魔術師　山形博導とファンタジックワールド〉〔『週刊現代』１９８４年２月18日号／講談社〕

◎経済誌・業界誌
〈池袋西口に建設された東武百貨店〉〔『東邦経済』１９６２年６月号／東邦経済社〕
〈池袋に進出した東武百貨店〉〔『日本経済新報』１９６２年６月号／日本経済新報社〕
〈新機軸で開店した小田急百貨店〉〔『実業の世界１』１９６２年12月号／実業之世界社〕
〈新宿副都心建設の先陣を承って――デヴューする小田急百貨店〉〔『実業界』１９６２年10月号／実業界〕
〈問題の企業をさぐる⑫　東横百貨店〉〔『経済評論』１９６４年３月号／日本評論社〕
〈七色に輝く虹のデパート　京王百貨店〉〔『実業界』１９６４年12月１日号／実業界〕
〈京王開店とその周辺〉〔『デパートニューズ調査年鑑』１９６５年版／１９６５年３月／デパートニューズ社〕
〈新宿丸物を買収した伊勢丹〉〔『実業界』１９６６年５月１日号／実業界〕
〈百貨店屋に徹する男〝東横・山宗〟〉〔『月刊経済』１９６６年８月号／月刊経済社〕
〈〝東急〟の牙城渋谷に進出する仇敵〝西武〟〉〔『月刊経済』１９６６年11月号／月刊経済社〕
〈渋谷は百貨店の関ガ原になるか東横のあがき〉〔『実業界』１９６７年５月15日号／実業界〕
〈面目一新「東急百貨店」として再発足〉〔『実業界』１９６７年10月号／実業界〕
〈これからが本当の〝実りのとき〟〉〔『ダイヤモンド』１９６７年10月号／ダイヤモンド社〕
〈激しく塗り変る産業新地図（百貨店業界）〉〔『月刊経済』１９６７年10月号／月刊経済社〕
〈新宿西口副都心と小田急・京王の対決〉〔『実業界』１９６７年10月１日号／実業界〕
〈〝東急の牙城〟渋谷で火花ちらす血戦〉〔『政経人』１９６８年４月号／総合エネルギー研究会／政経社〕
〈ターミナル・デパートにうち込む　東急百貨店の執念〉〔『月刊経済』１９６８年６月号／月刊経済社〕
〈渋谷夏の陣・東急・西武の〝百貨店戦争〟〉〔『財界』１９６８年７月号／財界研究所〕
〈〝ファッション〟デパート浮上〈東急本店・西武渋谷店〉〉馬場禎子〔『プレジデント』１９６８年７月号／プレジデント社〕
〈インテリア時代を先取りする〉松邑隆一郎〔『マネジメント』第29号／１９７０年12月／日本能率協会〕
〈西武百貨店の渋谷進出におけるトップマネジメントのデシジョン・メーキング〉堤清二〔『経営資料集大成Ⅶ』／

1970年／日本経営政策学会編／日本総合出版機構〕
〈東武百貨店と東京メルサ〉〔『企業診断』特大18号／1971年9月／同友館〕
〈ぶらんでーとTO－Bで華麗なる転身〉〔『商業界』1972年3月号／商業界〕
〈東急百貨店社長＝三浦守〉〔『Decide＝決断』1987年2月号／サバイバル出版〕
〈渋谷東急文化村構想にみる最近の消費者動向〉稲垣陽造〔『ショッピングセンター』1987年3月号／日本ショッピングセンター協会〕
〈東急百貨店の〝文化村構想〟その発想と行動を点検してみれば……〉〔『激流』1987年9月号／国際商業出版〕
〈文化村構想の背景〉〔『Report leisure』第416号／1987年／レジャー・マーケティング・センター〕
〈〝文化村〟で画す東急の渋谷戦略〉宮本惇夫〔『実業の日本』1989年11月号／実業之日本社〕
〈企業の美術活動を訪ねて〉室伏哲郎〔『実業の日本』1992年11月号／実業之日本社〕

◎新聞
朝日新聞、毎日新聞、読売新聞、日本経済新聞、産経（サンケイ）新聞、東京新聞、日刊スポーツ、スポーツニッポン、デイリースポーツ、東京スポーツ、日経流通

◎Ｗｅｂサイト・映像
唐澤博物館（http://karasawamuseum.com/）
日本児童出版美術家連盟（http://www.dobiren.org/）
白川義員オフィシャルサイト（https://www.yoshikazu-shirakawa.com/）
〈坂倉準三によるモダニズム建築。小田急百貨店新宿店本館が解体へ〉『美術手帖21年7月20日』（https://bijutsutecho.com/magazine/news/headline/24347）
『日本の美術展覧会記録1945–2005』〔国立新美術館〕（https://www.nact.jp/exhibitions1945-2005/index.html）

小田急と江ノ電の記録鉄のブログ（https://oer16582478.blog.fc2.com/）
『薔薇の葬列』松本俊夫（脚本・監督）［１９６９年作品：２００４年2月／ＳＰＯ］

関連年表

小田急百貨店の主な展覧会と出来事	社会の主な出来事
1960（昭和35）年	
	6月　新宿副都心計画発表 6月　新安保条約発効、岸首相退陣表明 7月　池田内閣成立 12月　所得倍増計画閣議決定
1961（昭和36）年	
6月　株式会社小田急百貨店設立	4月　ソ連、有人宇宙船地球一周成功 10月　パウル・クレー展（池袋西武）
1962（昭和37）年	
11月　小田急百貨店開業 11月　'63年冬山とスキーフェスティバル	1月　地下鉄丸ノ内線荻窪まで全線開通 2月　東京の人口1千万人を突破 5月　池袋・東武百貨店開業 8月　マリリン・モンロー急死 10月　キューバ危機
1963（昭和38）年	
1月　富士山展 7月　徳利と盃展 10月　"芭蕉の生涯"展 12月　国際近代彫刻シンポジウム小品展	3月　エジプト美術五千年展（東京国立博物館） 7月　建築基準法改正（建物の高さ制限緩和） 8月　池袋西武7・8階火災 11月　ケネディ大統領暗殺
1964（昭和39）年	
2月　日本の火山展 4月　リビングリビング展 4月　秘境ネパール展 5月　日本・中国版画交流展 7月　韓国民俗手芸芸術展	2月　銀座松屋5〜7階火災 4月　日本、OECDに正式加盟 4月　ミロのビーナス特別公開（国立西洋美術館） 5月　新宿ステーションビル開業 10月　東海道新幹線開業 10月　東京オリンピック大会開催 11月　新宿・京王百貨店開業 11月　佐藤内閣成立
1965（昭和40）年	
4月　丹沢大山国定公園指定記念　丹沢展 7月　夏ひらく大多摩地方観光写真展	6月　日韓基本条約調印（国交回復） 8月　ツタンカーメン展（東京国立博物館） 9月　英国博覧会（晴海国際見本市会場）
1966（昭和41）年	
8月　地震展〈その予知と防災〉 9月　地下鉄ビル完成　新館として開店 9月　明治100年　近代日本を開いた人物展 11月　新宿西口広場完成	5月　中国、文化大革命はじまる 6月　ビートルズ日本公演 7月　TBS「ウルトラマン」放映開始 11月　新宿丸物閉店
1967（昭和42）年	
1月　自然を守る　箱根丹沢美術展 9月　北方領土展	4月　美濃部亮吉、東京都知事当選 8月　公害対策基本法公布

10月　華岡青洲と近代麻酔展
11月　小田急ビル完成　全館営業開始
11月　文化大催物場　開設
11月　近代日本の夜明け展
12月　日本の名槍展

8月　状況劇場、新宿花園神社で紅テント公演
9月　日本橋白木屋、東急百貨店日本橋店に改称
9月　ヒロシマ原爆展（銀座松坂屋）
10月　東京国立博物館東洋館開館
11月　渋谷・東急百貨店本店開業

1968（昭和43）年

2月　みちのくの秘宝　中尊寺展
3月　第17回　関東・東海花の展覧会（以降、ほぼ毎年開催）
5月　春日大社秘宝展
5月　アフリカ黒人芸術展　失われた人間性を求めて
6月　ネパール王国の秘宝展
8月　小田急こどもSF大博覧会
9月　'68世界報道写真展（以降、71、72年を除き90年まで毎年開催）

4月　渋谷・西武百貨店開業
4月　小笠原諸島日本復帰
6月　文化庁発足
9月　新宿伊勢丹「男の新館」オープン
9月　水俣病を公害病と認定
10月　新宿駅騒乱事件
12月　三億円事件
12月　川端康成ノーベル文学賞受賞
GNP世界第2位、大学紛争激化

1969（昭和44）年

1月　埋れていた奈良の都＝平城宮展
2月　実物でみる児童文化史展
3月　徳川美術館名宝展
4月　飛鳥文化と聖徳太子展
5月　'69オーディオショー（70、71年開催）
7月　走れ！蒸気機関車展
8月　世界の釣り展
9月　小田急英国フェア'69これが英国史展
11月　桃山障屏画名作展

1月　東大安田講堂事件、機動隊導入
5月　東名高速道路開通
6月　国立近代美術館、竹橋に移転開館
6月　池袋丸物閉店
6月　新宿西口フォーク集会、機動隊と衝突
7月　アポロ11号月面着陸
8月　日宣美展中止（新宿京王）
9月　英国商務省主催、英国フェア（武道館）
11月　池袋パルコ開業、玉川高島屋開業

1970（昭和45）年

1月　万国博開催記念　世界の歌麿展
2月　伝教大師千百五十年大遠忌奉賛　天台の秘宝展
3月　ピアノの楽聖　大ショパン展
4月　万国博協賛　エチオピア国宝展
4月　2000年前の日本　弥生人展
7月　シルクロードの生活と民芸　文明の十字路美術展
10月　やぼといき　さむらいと町人展
11月　岸田劉生展
12月　第11回　'70さよならニュース写真展
12月　地球展　極地の過去と現在を中心として

3月　大阪万博開催
3月　よど号ハイジャック事件
4月　FM東京開局
6月　日米安保条約自動延長
6月　米軍接収の戦争絵画返還発表
7月　日航ジャンボ機就航開始
8月　新宿、銀座などで歩行者天国始まる
11月　三島由紀夫割腹自殺
ビートルズ解散へ
いざなぎ景気終息

1971（昭和46）年

1月　加賀前田家の名宝と九谷名陶展
3月　日本プロレス大展覧会
3月　金山平三「全芝居絵展」
4月　尾張徳川家伝来　名刀百選展
6月　蕭白・芦雪を中心に　近世異端の芸術展
8月　怪獣バンバン大会
9月　ユージン・スミス写真展
11月　現代の幻想絵画展
12月　神々の座　白川義員ヒマラヤ写真展

4月　NET「仮面ライダー」放送開始
6月　副都心で最初の超高層ビル、京王プラザ開業
7月　銀座三越にマクドナルド1号店オープン
8月　ドルショック、1ドル360円の固定相場制終る
9月　日清食品、カップヌードル新発売
10月　中華人民共和国、国連加盟
11月　池袋・東武百貨店新装オープン

1972（昭和47）年

1月　萬鐵五郎展
2月　讃歌　早春の賦　杉山吉良写真展
3月　北大路魯山人展
4月　ウィーン幻想絵画展
4月　日本列島展　その誕生から人間登場まで
5月　昭和期の青春の詩篇　三岸好太郎展
6月　象牙海岸にみる民族の美　ブラックアフリカ芸術展
8月　変身分身大作戦展
9月　英泉浮世絵展
9月　土門拳写真展「古寺巡礼」
10月　飛鳥展　その謎をさぐる
12月　第13回　'72報道写真展（以降、2000年まで毎年開催）

1月　グアム島で元軍人横井庄一救出
2月　札幌冬季オリンピック開催
2月　連合赤軍浅間山荘事件
3月　高松塚古墳壁画発見
4月　外務省機密漏洩事件
5月　沖縄施政権返還、沖縄県発足
5月　日本人ゲリラ、テルアビブ空港乱射事件
6月　田中角栄、日本列島改造論発表
7月　田中内閣成立
9月　日中国交正常化
10月　上野・京成百貨店開業
11月　上野動物園、パンダ初公開

1973（昭和48）年

1月　京都　六波羅蜜寺展
2月　ドキュメント中国　三留理男写真報告展
3月　池谷朗写真展　ガールズ・ナウ
4月　神秘と幻想の世界　インカ帝国の秘宝展
6月　生きてる浮世絵　刺青展
7月　異端の放浪者　円空・木喰展
8月　日本のからくり展
9月　小田急グランドギャラリーに改称
9月　尾張徳川家に伝わる　大名茶の湯展
10月　日本人類史展

1月　ベトナム和平成立
2月　円変動相場制に移行
3月　小松左京、『日本沈没』刊行
6月　中華人民共和国出土文物展（東京国立博物館）
6月　渋谷パルコ開業
10月　第一次石油危機勃発
　　　オイルショック・狂乱物価
11月　熊本大洋デパート、百貨店史上最悪の火災
12月　国民生活安定緊急措置法公布

1974（昭和49）年

1月　文楽と土門拳展
2月　みちのくの秘宝展
4月　大竹省二ビーナス写真展
4月　アステカ文明展
6月　アンリ・カルチエ＝ブレッソン写真展
7月　並河萬里　シルクロード写真展
8月　ふるさとのあそび展
9月　わたしたちの吉川英治展
11月　清長160年記念　鳥居派八代浮世絵展
12月　松山清一展

1月　国宝・重文の百貨店などでの展示不許可
3月　ルバング島で元軍人小野田寛郎救出
3月　新宿副都心に新宿住友ビル竣工、続いてKDDビル、新宿三井ビル
4月　モナ・リザ展（東京国立博物館）
5月　セブンイレブン1号店オープン
10月　巨人軍長嶋茂雄引退
12月　三木内閣成立
　　　年間経済成長率マイナス0.5％、戦後初のマイナス成長

1975（昭和50）年

1月　昭和大修理記念　奈良の大仏展
2月　日本の磁器・赤絵の精華　色鍋島展
4月　縄文人展　自然に生きた祖先の姿
6月　日本版画史を生きる　永瀬義郎のすべて展
7月　インカ文明とミイラ展
10月　「家」　篠山紀信写真展
11月　全国史跡めぐり展

3月　新幹線東京―博多間開通
4月　ベトナム戦争終結
5月　英国エリザベス女王夫妻来日
7月　沖縄海洋博覧会開催
9月　東京都美術館新館開館
9月　池袋・西武美術館開館
11月　パリで第1回先進国首脳会談開催

1976(昭和51)年

1月 世界巨匠版画展	1月 大和運輸の宅急便誕生
1月 高島北海展	2月 ロッキード疑獄始まる
2月 ある青春の挫折の歌　難波田史男遺作展	4月 S.ジョブス等によりアップル創業
4月 没後100年記念　アンデルセン童話館	4月 韓国美術五千年展（東京国立博物館）
5月 パウル・クレーとその友だち展	7月 田中角栄前首相逮捕
7月 世界の昆虫王国展（以降、81年まで毎年夏に昆虫展を開催）	7月 安田火災海上ビルに東郷青児美術館開館
9月 サム・ハスキンス写真展	8月 ピンクレディ、デビュー
10月 日本赤絵磁器のふるさと　柿右衛門名品展	9月 中国、毛沢東主席没
11月 増田誠の歩み展	12月 福田内閣成立

1977(昭和52)年

1月 藤田嗣治展	1月 青酸コーラ無差別殺人事件
3月 スイス・アルプス名画展	4月 山梨県、ミレー「種まく人」など2億円で購入
4月 大和路　入江泰吉写真展	7月 池田満寿夫、「エーゲ海に捧ぐ」で芥川賞受賞
5月 斎藤清の歩み展（以降、99年までの間、6回斎藤清展を開催）	8月 中国、文化大革命終結宣言
9月 横井弘三展	9月 日本赤軍ダッカ事件、「超法規措置」
9月 ウィーン国立工芸美術館所蔵　浮世絵名品展	9月 王貞治ホームラン世界記録達成
11月 松本竣介展	平均寿命世界一となる

1978(昭和53)年

1月 須田国太郎展	1月 TBS「ザ・ベストテン」放送開始
2月 ロルフ・ネッシュ版画展	4月 ヴァンヂャケット倒産
3月 神田日勝展	4月 キャンディーズファイナル公演
4月 人間国宝　濱田庄司追悼展	5月 新東京国際（成田）空港開港
6月 セガンチーニ展　アルプスの牧歌と幻想	6月 「スターウォーズ」日本公開
7月 SF宇宙の冒険展	6月 サザンオールスターズ、デビュー
9月 '78日本のガラス展（以降、3年毎に99年まで7回開催）	8月 日中平和友好条約調印
9月 若山牧水展	9月 東急ハンズ、渋谷に開店
10月 ほとけの里・国東秘宝展	11月 新宿ステーションビル、マイシティに
11月 滴翠美術館名品展―茶陶とカルタを中心に―	11月 船橋西武美術館開館
	12月 大平内閣成立

1979(昭和54)年

2月 カルティエ＝ブレッソンコレクション展	1月 第二次石油ショック
3月 水彩画の巨匠　没後30年記念　中西利雄展	2月 イラン革命成立
4月 南太平洋にロマンをもとめた　土方久功展	4月 鈴木俊一、東京都知事当選
4月 19世紀オランダ絵画展	4月 渋谷109開業
6月 現代美術の父　瑛九展	5月 イギリス、サッチャー首相就任
8月 夜明けの花　池田淑人絵画展	7月 ソニー、ウォークマン発売
9月 生まれ出づる悩み　木田金次郎展	9月 NEC、パソコンPC8001発売
9月 苦悩の画家　魂の叫び　靉光展	9月 伊勢丹美術館開館
11月 没後50年記念　前田寛治展	12月 ソ連、アフガニスタン侵攻
11月 李朝民画展	インベーダーゲーム流行

1980(昭和55)年

1月 肉筆浮世絵の華　歌川派の全貌展	3月 地下鉄都営新宿線開通

2月　芸術は爆発だ　挑む　岡本太郎展 4月　最前線に生きた写真家　ロバート・キャパ展 4月　フランス近代絵画展　印象派＝光と色彩の画家たち 5月　中国の風土と人間　久保田博二写真展 6月　宗教画・孤高の六十五年　杉本哲郎展 7月　小田急夏休み　人形劇カーニバル 9月　ガラス100年　フランス・ドームの栄光 9月　日本の陶磁展　ボストン美術館所蔵 10月　野性の芸術　円空展 11月　小野忠弘展	4月　松田聖子デビュー 5月　JOC、モスクワ五輪不参加決定 5月　「影武者」カンヌ映画祭グランプリ 7月　鈴木内閣成立 8月　新宿西口バス放火事件 9月　イラン・イラク戦争始まる 9月　ホテル・センチュリーハイアット開業 10月　山口百恵引退コンサート 11月　アメリカ大統領にレーガン当選 12月　ジョン・レノン射殺される 日本の自動車生産台数世界一に

1981（昭和56）年

1月　ベルナール・ビュッフェ全石版画展 2月　伊東深水回顧展 3月　写真展「マザー・テレサ―その人と愛」 3月　内ヶ磯古窯発掘記念　大名茶陶展 5月　ドイツ美術500年展 6月　出羽庄内の民具と酒井家資料展 8月　人形劇カーニバル 9月　沈壽官家歴代陶芸展 10月　夭折の天才画家　関根正二と村山槐多 10月　アンリ・ルソーと素朴派の画家たち展 11月　堂本印象展―美の遍歴―	2月　ローマ教皇ヨハネ・パウロ二世来日 2月　レーガン大統領レーガノミクス発表 4月　船橋市に大型ショッピングセンター、ららぽーと開業 4月　スペースシャトル、宇宙空間に初飛行 5月　マザー・テレサ初来日 7月　フジTV「オレたちひょうきん族」放送開始 10月　英国皇太子チャールズ、ダイアナ妃結婚式 写真週刊誌「FOCUS」創刊 『窓際のトットちゃん』ベストセラー

1982（昭和57）年

1月　鏑木清方展 3月　生誕100年記念　斎藤茂吉展 3月　ユージン・スミス展 4月　ルドルフ・ハウズナー展 5月　佐熊桂一郎展 8月　ロボットと遊ぼう　メカトピア展 9月　ドーミエ版画展 9月　卒寿記念・染彩　皆川月華展 10月　曼陀羅の人―わたしたちの弘法大師展 10月　ヨンキント展	2月　ホテルニュージャパン火災 4月　アルゼンチン・イギリス、フォークランド紛争 6月　東京高裁、「愛のコリーダ」裁判で無罪判決 6月　東北新幹線、11月上越新幹線開業 8月　三越「古代ペルシャ秘宝展」贋作事件 9月　三越岡田社長解任 10月　ソニー、CDプレーヤー発売 11月　中曽根内閣成立 12月　美術館連絡協議会発足

1983（昭和58）年

1月　足立美術館所蔵　横山大観展 3月　マリリン・モンロー＆ノーマ・ジーン展 4月　デュフィ展 4月　徳川十五代将軍展 5月　生誕95年　シャガール展 6月　アンセル・アダムス展 7月　鉄道展 9月　キリシタンロード400年展 9月　金剛家能楽秘宝展 9月　近代洋画の歩み展 10月　生命の彫刻家　ビーゲラン彫刻展	2月　青木功、ハワイアンオープンで優勝 3月　国立歴史民俗博物館開館 4月　東京ディズニーランド開園 5月　寺山修司死去、天井桟敷解散へ 7月　任天堂、ファミコン発売 8月　PL学園、桑田・清原の活躍で甲子園優勝 9月　大韓航空機、サハリン沖撃墜事件 10月　東京都庭園美術館開館 10月　平凡出版がマガジンハウスに社名変更 10月　田中角栄に実刑判決 10月　三宅島雄山大噴火

10月　M.C.エッシャー［遊びの宇宙］
11月　アフリカ最後の秘境　バハル！　野町和嘉写真展

12月　愛人バンク「夕ぐれ族」摘発
NHKの朝ドラから、おしんドローム

1984（昭和59）年

1月　生誕100年　橋本関雪展
2月　ヤマガタ・ヒロミチ展
3月　幻想空間を描く　三尾公三展
4月　ミロ回顧展
4月　パスキン展
5月　キスリング展
7月　宇宙への旅展
8月　マン・レイ展
9月　鹿児島寿蔵のすべて
10月　ほほえみの石仏展
10月　栄光のインカ帝国展

1月　週刊文春報道でロス疑惑追及
2月　冒険家植村直己、アラスカで消息不明
3月　グリコ・森永事件の始まり
4月　プランタン銀座開業
5月　NHK衛星放送開始
6月　日本人の平均寿命世界一と発表
10月　有楽町西武、同阪急開業
10月　コアラ初来日、多摩動物園など
12月　上野・京成百貨店閉店
12月　インド、ボパール化学工場事故
エリマキトカゲ大流行

1985（昭和60）年

1月　富岡鐵斎展
4月　マンチェスター市立美術館所蔵　ターナー展
5月　アルフレッド・スティーグリッツ展
6月　J・M・フォロン展
7月　ぼくとわたしの昆虫記
8月　遊びのやきもの　世界ユーモア・カップ展
9月　服部正一郎展
9月　モダン・パリ展　印象派から世紀末へ
11月　ユトリロ展　没後30年記念

1月　両国新国技館落成
2月　竹下登、創成会旗揚げ、田中派分裂
3月　つくば科学万博開催
3月　ゴルバチョフ、ソ連共産党書記長に就任
4月　NTT、JT民営化
8月　日航機、御巣鷹山墜落事故
9月　横浜そごう美術館開館
9月　プラザ合意
11月　阪神タイガース、球団史上初の日本一

1986（昭和61）年

1月　皇女和宮展
4月　和泉流宗家秘蔵による　狂言展と実演
4月　エドワード・スタイケン展
5月　キャンバスに描かれた室内楽　有元利夫展
6月　海老原喜之助展
8月　戦火に消えた幻の名窯―横浜真葛焼　宮川香山展
8月　大和路の詩とこころ　會津八一展
9月　ラグーザ玉展
10月　英国・国立ウェールズ美術館展
10月　生誕100年記念　レオナール・フジタ展

2月　フィリピン大統領マルコス亡命
3月　世田谷美術館開館
4月　男女雇用機会均等法施行
4月　アイドル岡田有希子飛び降り自殺
4月　チェルノブイリ原発事故
5月　エニックス、ドラゴンクエスト発売
5月　英国チャールズ皇太子ダイアナ妃来日
9月　社会党土井たか子委員長就任
12月　たけし、フライデー襲撃事件
大都市の地価高騰、以後郊外へ波及

1987（昭和62）年

1月　不熟の天才　菱田春草展
3月　ポール・デービスの世界展
4月　古代エジプト展
5月　ベルナール・ビュッフェ展
8月「ポーランドの子どもの目に映った戦争」原画展
9月　よみがえる王国の古陶磁展
10月　光太郎　智恵子の世界展
11月　エドワード・ウェストン展
11月「河井寛次郎の仕事」展

2月　NTT株上場
3月　ゴッホ「ひまわり」を安田火災が53億円で落札
4月　国鉄分割民営化、JR発足
6月　日本の外貨準備高世界一に
10月　ニューヨーク株式大暴落
11月　竹下内閣成立
12月　米ソ、中距離核戦力全廃条約調印

1988(昭和63)年

1月　生誕120年　小川芋銭展	1月　ソ連、ペレストロイカ開始
2月　ディヴィッド・ホックニーポスター展	3月　東京ドーム完成
3月　写真の印象派　R・ドマシー、C・ピュヨー展	3月　青函トンネル開通、青函連絡船営業終了
4月　琉球陶器の最高峰　人間国宝　金城次郎のわざ	4月　瀬戸大橋開通
4月　尾張徳川家　能面・能装束展	4月　美空ひばり、不死鳥コンサート
7月　シャガール版画展	6月　リクルート事件発覚
9月　「人間良寛　その生涯と芸術」展	6月　雑誌「Hanako」創刊
9月　ロートレックの生涯展	10月　日本TV「それいけ!アンパンマン」放送開始
10月　ヤマガタ・ヒロミチ展	11月　ダイエー、南海ホークス買収
11月　発掘・大和の古墳展	翌年にかけて、ふるさと創生一億円事業
11月　フランス幻想絵画の偉才　ディマシオ展	

1989(平成元)年

1月　近代日本美人画名作展	1月　昭和天皇崩御、平成に改元
2月　三橋兄弟治の“詩と真実”展	4月　消費税導入、税率3%
3月　古代ギリシャ・ローマ展	6月　中国、天安門事件
6月　ターナー水彩画展	6月　宇野内閣成立、8月海部内閣成立
7月　現代中国画壇の巨匠による　桂林百景展	9月　渋谷に東急Bunkamura開業
8月　エルテの世界展	10月　池袋・西武美術館、移転してセゾン美術館開館
9月　カミーユ・コロー展	11月　横浜美術館開館
10月　明治大学展	11月　ベルリンの壁崩壊
10月　デ・キリコ展	12月　日経平均株価史上最高値
11月　開創1200年記念　京　清水寺展	

1990(平成2)年

1月　海を渡った浮世絵展	1月　フジTV「ちびまる子ちゃん」放送開始
4月　ブーシェ　フラゴナール展	1月　第1回大学入試センター試験
4月　エッシャー不思議な世界展	2月　ローリング・ストーンズ日本初公演
5月　牧野邦夫展	2月　ソ連が一党独裁放棄、大統領制に
6月　アメリカン・デコ展	4月　日米構造協議開催、大店法規制緩和へ
7月　ジョルジュ・ド・フール展	6月　礼宮、川嶋紀子結婚、秋篠宮家創立
8月　ボナノッテの世界展	7月　ペルー、フジモリ大統領就任
9月　ペルー黄金博物館展　アンデス文明の秘宝	10月　統一ドイツ誕生
10月　ターナーとその時代　英国水彩画展	10月　TBS「渡る世間は鬼ばかり」放送開始
10月　山頭火の世界展	12月　多摩市にサンリオピューロランド開園
11月　デヴィット・ダグラス・ダンカン写真展	

1991(平成3)年

1月　藷谷虹児展	1月　湾岸戦争勃発
2月　ハリウッド写真展	4月　新宿に東京都庁舎開庁
3月　小林清親展	4月　自衛隊掃海艇をペルシャ湾に派遣
5月　ホルスト・ヤンセン展	5月　ジュリアナ東京開業
6月　長谷川利行展	6月　雲仙・普賢岳火砕流で43人死亡
6月　田辺三重松展	9月　韓国、北朝鮮、国連に同時加盟
7月　超人　南方熊楠展	10月　新宿・三越美術館開館
10月　ベルエポックとパリジェンヌ展	11月　宮澤内閣成立
11月　アンリ・カルティエ・ブレッソン展	12月　ソビエト連邦崩壊
11月　大下藤次郎展	大相撲、若貴ブーム

1992（平成4）年

1月　山口蓬春展
2月　小貫政之助展
4月　小田急美術館に改称
4月　古代メキシコ至宝展
6月　マーガレット・バーク＝ホワイト展
7月　「創造・ミラノアート＆デザイン」展
8月　アーノルド・ニューマン展
8月　門跡尼寺の名品展
9月　人間国宝　山本陶秀展
9月　ベン・ニコルソン展
10月　シャガール展
11月　スーチン展

1月　ユーゴスラビア連邦解体
2月　東京佐川急便事件
3月　佐世保にハウステンボス開業
4月　テレ朝「クレヨンしんちゃん」放送開始
4月　尾崎豊死去
5月　細川護熙、日本新党結成
6月　東武美術館開館
7月　バルセロナ五輪、岩崎恭子金メダル
8月　中国、韓国国交樹立
9月　自衛隊、PKOでカンボジア派遣
11月　アメリカ大統領にクリントン当選
　　　バブル崩壊不況深刻化

1993（平成5）年

1月　下村観山展
3月　エルンスト・ハース展
3月　木のこころ　ジョージ・ナカシマ展
4月　アメリカン・イラストレーション展
5月　ムンク版画展
6月　難波田史男展
7月　ルネ・ラリック展
8月　絵本の詩人　ケイト・グリーナウェイ展
9月　近藤弘明展
10月　アンセル・アダムス展
11月　児島善三郎展

1月　曙、外国人力士として初めて横綱昇進
3月　江沢民、中国国家主席に就任
3月　江戸東京博物館開館
4月　千葉そごう美術館開館
5月　プロサッカーのJリーグ開幕
6月　皇太子結婚の儀
8月　非自民8党派による連立政権、細川内閣成立
8月　レインボーブリッジ開通
10月　ドーハの悲劇W杯初出場を逃す
11月　EU（欧州連合）発足
12月　法隆寺など日本初の世界遺産登録

1994（平成6）年

1月　小林古径展
2月　小山田二郎展
2月　マーティン・ムンカッチ展
4月　吉田芳夫展
4月　アントニオ・ロペス展
6月　変貌する20世紀絵画展
7月　アメリカ絵本の黄金時代をひらいた　ガァグ、バートン、エッツ展
8月　ジャワ更紗展
9月　「円空―慈悲と魂の芸術」展
10月　京都画壇250年の系譜展

4月　羽田内閣成立
5月　南アフリカ、マンデラ大統領就任
6月　松本サリン事件
6月　自民、社会、さきがけの3党連立政権、村山内閣成立
7月　金日成北朝鮮主席死去
8月　初の天気予報士国家試験
9月　関西国際空港開港
10月　大江健三郎ノーベル文学賞受賞
12月　新進党結成
12月　ソニー、プレイステーション発売

1995（平成7）年

1月　フランス近代絵画展
2月　橋口五葉展
2月　新発見・シーボルト旧蔵　日本植物図譜展
3月　エドゥアール・ブーバ展
4月　ベルナール・ビュッフェ展
5月　希望と夢の絵本芸術　エズラ・ジャック・キーツ展
7月　宮沢賢治の世界展
8月　西洋近代彫刻の巨匠展

1月　阪神淡路大震災
1月　東京都写真美術館、総合開館
2月　野茂英雄、ドジャース入団決定
3月　地下鉄サリン事件
3月　東京都現代美術館開館
4月　青島幸男、東京都知事当選
4月　1ドル79円台の最高値を記録
7月　アマゾン、オンライン書店サービス開始

8月　近代ヨーロッパのガラス100年展	7月　製造物責任法（PL法）施行
9月　富本憲吉展	7月　ミャンマー、アウンサン・スーチー解放
10月　ヘルムート・ニュートン展	10月　テレ東「新世紀エヴァンゲリオン」放送開始
11月　中村彝展	11月　ウィンドウズ95日本語版発売

1996（平成8）年

1月　「甦る正倉院宝物」展	1月　日テレ「名探偵コナン」放送開始
1月　「浜田知明の全容」展	1月　橋本内閣成立
2月　安野光雅ヨーロッパ風景画展	4月　ヤフー・ジャパン、サービス開始
3月　暁斎の戯画・狂画展	4月　沖縄普天間基地返還合意
4月　アメリカ黄金時代の絵本作家たち展	7月　アトランタ五輪、日本サッカーブラジルを破る
5月　竹久夢二展	8月　西新宿に東京オペラシティ開業
6月　生誕100年記念　徳岡神泉展	8月　船橋西武美術館閉館
7月　ヴィクトル・ユゴー展	9月　民主党結成、代表菅直人、鳩山由紀夫
8月　知られざるインド更紗展	10月　新宿髙島屋開業
9月　広重の世界展	11月　バンダイ、たまごっち発売
10月　エッシャー展	12月　ペルー日本大使公邸占拠発生

1997（平成9）年

1月　平福百穂展	1月　有楽町に東京国際フォーラム開館
1月　ベッティナ・ランス展	4月　消費税率5％に引き上げ
2月　バーナード・リーチ展	4月　テレ東「ポケットモンスター」放送開始
3月　ベルギー象徴主義の巨匠展	7月　香港、イギリスから中国に返還
4月　鹿児島寿蔵展	8月　ダイアナ元皇太子妃交通事故死
6月　マナブ間部展	9月　山一證券破綻、11月北海道拓殖銀行破綻
7月　ピカソ「愛とエロチシズム」	10月　長野（北陸）新幹線開業
9月　映画―100年展	12月　都営大江戸線（練馬―新宿）開業
10月　大佛次郎展	12月　地球温暖化防止京都会議
10月　安野光雅スケッチ展	12月　東京湾アクアライン開通

1998（平成10）年

1月　福田平八郎展	2月　長野冬期オリンピック開催
2月　中西利雄展	3月　新宿駅南口に小田急サザンタワー開業
2月　ルオー展	4月　完全失業率、初めての4％台に
3月　リキテンスタイン版画の宇宙　1948―1997展	5月　貴乃花、若乃花の初めての兄弟横綱誕生
4月　ムーミンと白夜の国の子どもたち　北欧の絵本三人展	6月　サッカーWカップ日本初出場
5月　国画創作協会の画家たち展	7月　小渕内閣成立
6月　トッド・ウェッブ写真展	7月　和歌山カレー毒物混入事件
7月　オーブリー・ビアズリー展	8月　アップルコンピュータiMac発売
8月　逸品にみる浮世絵250年展	9月　グーグル設立
9月　封印された南宋陶磁展	10月　横浜ベイスターズ38年ぶりの日本一
10月　靉光展	12月　NPO法施行

1999（平成11）年

1月　女性画家が描く　日本の女性たち展	1月　通貨ユーロ導入
2月　ドウェイン・マイケルズ写真展	1月　東急百貨店日本橋店閉店
3月　明和電機百貨展'99	2月　池袋・セゾン美術館閉館
4月　絵本の100年展	3月　日産自動車、ルノー公団と資本提携
5月　中村岳陵展	4月　石原慎太郎、東京都知事当選

美術展	社会の出来事
6月　まなざし―ラインハルト・サビエ展	6月　ソニー、AIBO発売
7月　ジャンルー・シーフ写真展	8月　新宿・三越美術館閉館
10月　パリのカフェと画家たち展	10月　東京国立博物館平成館開館
11月　安野光雅風景画展	12月　東京駅丸の内で東京ミレナリオ初開催

2000（平成12）年

美術展	社会の出来事
1月　冷泉家展	4月　介護保険制度始まる
2月　清宮質文展	4月　森内閣成立
3月　レンブラント版画展	5月　ロシア大統領プーチン就任
4月　日本の絵本100年展	6月　雪印食中毒事件発覚
5月　ユトリロとヴァラドン展	7月　そごう経営破綻
7月　ターシャ・テューダーの世界展	9月　第一勧銀、富士銀、興銀によりみずほホールディングス設立
8月　寺山修司展	9月　シドニー五輪、マラソン高橋金メダル
8月　四谷シモン―人形愛	11月　アメリカ大統領にブッシュ当選
9月　金山康喜展	11月　イチロー大リーガーに
10月　ベッティナ・ランス写真展	11月　旧石器遺跡捏造発覚
11月　池田満寿夫展	12月　地下鉄大江戸線全線開通
12月　スヌーピーとチャーリー・ブラウンの世界　チャールズ・M・シュルツ原画展	

2001（平成13）年

美術展	社会の出来事
2月　浮世絵―美の極み	3月　東武美術館閉館
3月　牧野富太郎と植物画展	3月　ユニバーサルスタジオジャパン開園
4月　あだち充の世界展	4月　千葉そごう美術館閉館
5月　オディロン・ルドン展	4月　小泉内閣成立
6月　メープルソープ＆アラーキー百花乱乱展	7月　「千と千尋の神隠し」公開
7月　ビュッフェ追悼展	9月　東京ディズニーシー開園
9月　イタリアンモード50年展	9月　アメリカ同時多発テロ
10月　元・明・清名陶百選展	11月　日銀総裁、日本経済のデフレスパイラル危機を認める
10月　岡義実展	12月　湘南新宿ライン運転開始
10月　小田急美術館閉館	

2002（平成14）年

美術展	社会の出来事
	3月　伊勢丹美術館閉館

著者略歴

志賀健二郎（しが・けんじろう）

1950年　兵庫県生まれ
1974年　京都大学文学部卒業
　　　　小田急百貨店入社（～2006年）
　　　　小田急グランドギャラリーなどを担当
　　　　小田急美術館館長（兼務）
2006年　川崎市市民ミュージアム館長（～2011年）
現　在　渋谷ファッション＆アート専門学校校長
著　書『百貨店の展覧会』（2018年3月／筑摩書房）

小田急百貨店の展覧会——新宿西口の戦後50年

2022年9月30日　初版第1刷発行

著　者　志賀健二郎

発行者　喜入冬子

発行所　株式会社　筑摩書房
東京都台東区蔵前2-5-3　郵便番号111-8755
電話番号　03-5687-2601（代表）

装幀者　神田昇和

印刷・製本　中央精版印刷株式会社

本書をコピー、スキャニング等の方法により無許諾で複製することは、法令に規定された場合を除いて禁止されています。
請負業者等の第三者によるデジタル化は一切認められていませんので、ご注意下さい。

乱丁・落丁本の場合は、送料負担でお取り替えいたします。

©Kenjiro Shiga 2022　Printed in Japan
ISBN978-4-480-81862-1　C0063

●筑摩書房の本●

百貨店の展覧会
昭和のみせもの 1945-1988

志賀健二郎

百貨店はかつて時代を先取りする情報の発信基地だった。アートもニュースも事件も人物も取り上げ、カルチャーを牽引した百貨店展覧会の歴史から昭和を振り返る。

〈筑摩選書〉
三越 誕生！
帝国のデパートと近代化の夢

和田博文

1904年、呉服店からデパートへ転身した三越は近代日本を映し出す鏡でもあった。生活を変え、流行を発信する文化装置としての三越草創期を図版と共にたどる。

私のつづりかた
銀座育ちのいま・むかし

小沢信男

まもなく90歳の作家が、銀座の泰明小学校二年生のときに書いた作文を、いま読みなおす。花電車、遠足、デパート、家族や友人たち――甦る、82年前の東京！

神田神保町書肆街考
世界遺産的〝本の街〟の誕生から現在まで
✽第四八回講談社出版文化賞【ブックデザイン賞】受賞

鹿島茂

世界でも類例のない古書店街・神田神保町。その誕生から現在までの栄枯盛衰を、長年神保町に暮らした著者が、地理と歴史を縦横無尽に遊歩しながら描き出す。

写真集 昭和の肖像〈町〉

小沢昭一

写真館の息子・小沢昭一が撮った、70年代、日本が大きく変貌する頃の路地裏、浅草界隈、旅先の風景、特殊浴場、看板ポスター等。町と人の表情。にじむ昭和の心。

◉筑摩書房の本◉

〈筑摩選書〉
盆踊りの戦後史
「ふるさと」の喪失と創造
大石始

敗戦後の鎮魂の盆踊り、団地やニュータウンの盆踊り、野外フェスブーム以後の盆踊り、コロナ禍と盆踊り……その歴史をたどるとコミュニティーの変遷も見えてくる。

〈ちくま学芸文庫〉
たべもの起源事典　日本編
岡田哲

駅蕎麦・豚カツにやや珍しい郷土料理、レトルト食品・デパート食堂まで。広義の〈和〉のたべものと食文化事象一三〇〇項目収録。小腹のすく事典！

〈ちくま文庫〉
食品サンプルの誕生
野瀬泰申

世界に類を見ない日本独自の文化・食品サンプルはいつどのようにして生まれなぜここまで広がったのか。その歴史をひもとく唯一の研究を増補し文庫化。

〈ちくま文庫〉
古本で見る昭和の生活
ご家庭にあった本
岡崎武志

古本屋でひっそりとたたずむ雑本たち。忘れられたベストセラーや捨てられた生活実用書など。それらを紹介しながら、昭和の生活を探る。　解説　出久根達郎

おんなのひとりごはん
平松洋子

空っぽの胃袋を満たす二〇の物語。心地よい時間を過ごせる美味しいお店に出会えるかも！　とんかつ屋からカフェまで、ひとりでも行きたい一〇〇店ガイド付き。

●筑摩書房の本●

〈ちくま文庫〉
コーヒーと恋愛
獅子文六

恋愛は甘くてほろ苦い。とある男女が巻き起こす恋模様をコミカルに描く昭和の傑作が、現代の「東京」によみがえる。

解説　曽我部恵一

〈ちくま文庫〉
最高殊勲夫人
源氏鶏太

野々宮杏子と三原三郎は家族から勝手な結婚話を迫られるも協力してそれを回避する。しかし徐々に惹かれ合うお互いの本当の気持ちは……。

解説　千野帽子

〈ちくま文庫〉
カレーライスの唄
阿川弘之

会社が倒産した！　どうしよう。美味しいカレーライスの店を始めよう。若い男女の恋と失業と起業の奮闘記。昭和娯楽小説の傑作。

解説　平松洋子

〈ちくま文庫〉
田中小実昌ベスト・エッセイ
田中小実昌
大庭萱朗編

東大哲学科を中退し、バーテン、香具師などを転々とし、飄々とした作風とミステリー翻訳で知られるコミさんの厳選されたエッセイ集。

解説　片岡義男

〈ちくま文庫〉
山口瞳ベスト・エッセイ
山口瞳
小玉武編

サラリーマン処世術から飲食、幸福と死まで。——幅広い話題の中に普遍的な人間観察眼が光る山口瞳の豊饒なエッセイ世界を一冊に凝縮した決定版。